Le sauveur à tête d'or

Collection dirigée par Brigitte Ventrillon
Traduit de l'anglais par : Emmanuelle Lavabre
Participation à l'ouvrage : Chloé Chauveau
Mise en pages : Studio Michel Pluvinage

Publié pour la première fois
en langue anglaise
en 1995 par Hutchinson Children's Books sous le titre
Outcast of Redwall

Dépôt légal : septembre 1999
ISBN : 2 7404 0904-4

Brian Jacques

SOLARIS

TOME 1

LE SAUVEUR À TÊTE D'OR

Il y a bien longtemps,
dans la lointaine contrée de Mousseray…

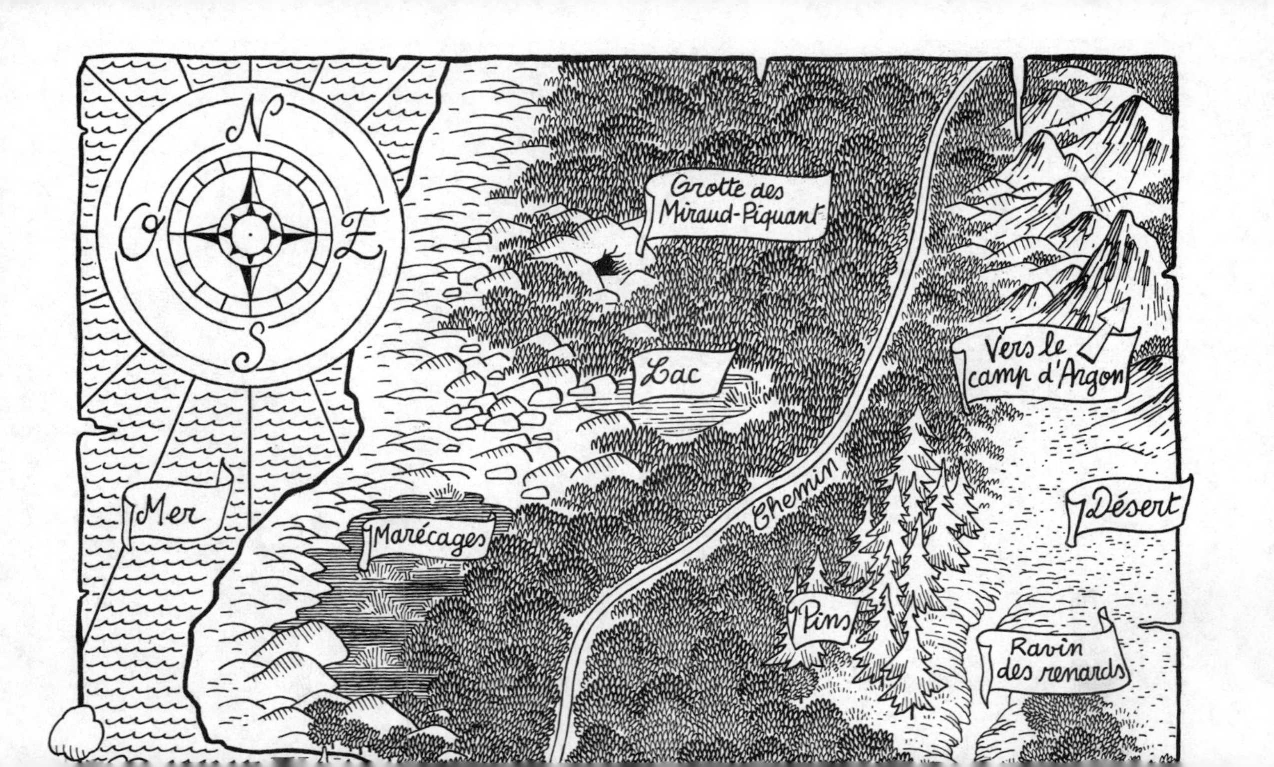
N
O
E
S
Grotte des
Miraud-Piquant
Vers le
camp d'Argon
Lac
Chemin
Désert
Mer
Marécages
Pins
Ravin
des renards

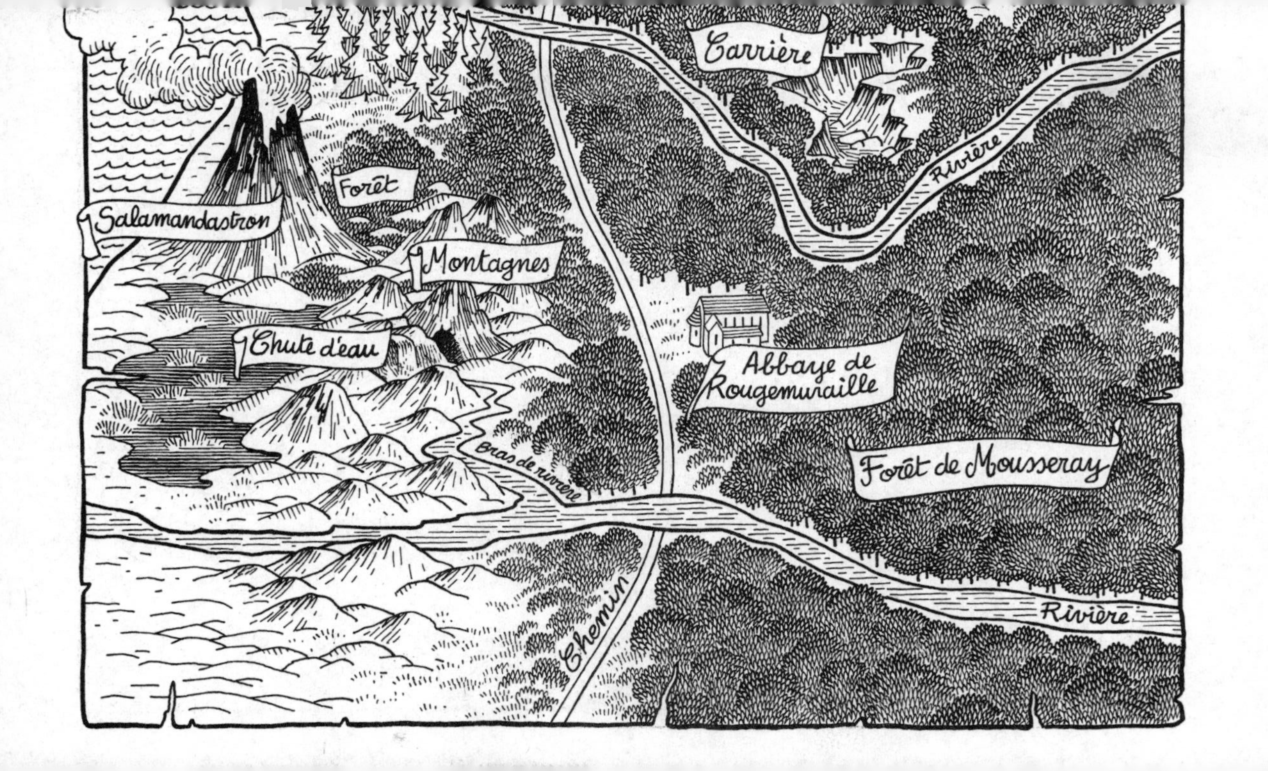
Carrière
Rivière
Salamandastron
Forêt
Montagnes
Chute d'eau
Abbaye de Rougemuraille
Forêt de Mousseray
Bras de rivière
Chemin
Rivière

C'était un bel après-midi d'automne, tout teinté d'or et de rouge. Une heure propice pour écouter des légendes du temps jadis. Au loin, le ciel et la mer se confondaient dans une brume bleue. Les vagues nonchalantes avaient laissé, en se retirant, un long collier brisé de coquillages et de galets sur le sable fin du rivage. Tout était calme. Semblable à une énorme bête surveillant la côte, une haute montagne se dressait, mystérieuse. Salamandastron ! Fief des blaireaux souverains et des lièvres de combat. Il y a bien longtemps, quand la terre était encore jeune, cette montagne avait craché le feu et expectoré * des roches en fusion. Mais le souffle du temps avait chassé de longue date les fumées de son sommet et refroidi à jamais ses pierres. Aujourd'hui, Salamandastron était à la fois gîte et forteresse, avec des tunnels et des galeries menant à une multitude de salles, de cryptes et de chambres secrètes.

À mi-hauteur de la face ouest, sur une vaste plate-forme rocheuse envahie d'arbustes et

* Expectorer : rejeter par la bouche, expulser.

de fleurs sauvages, on avait dressé un pique-nique à l'entrée d'un tunnel. Une dizaine de levrauts et de jeunes lièvres, assis par terre, observaient une très vieille loutre, tandis qu'une hase * adulte assurait le service. Courbé et blanchi par les ans, l'ancien s'appuyait sur un bâton de frêne et secouait la tête en signe de désapprobation, comme le font souvent les vieux face aux jeunes.

— Ahem ! Comme je regrette l'abbaye… Les jeunes de Rougemuraille ont de meilleures manières. Au lieu de bayer aux corneilles, y a longtemps qu'y z'auraient aidé un pauv'vieux à s'asseoir !

Réprimant un sourire, la hase regarda les levrauts se précipiter vers le vieux voyageur, faisant assaut, à leur façon, de respect et d'égards envers lui.

— S'asseoir ? Fastoche, pépère, euh ! m'sieur.

— Posez-vous là, m'sieur, l'herbe est douce et grasse, pas vrai ?

— Alors, l'ancien, z'êtes installé comme vous voulez ?

Le vénérable vieillard hocha lentement la tête.

— C'est parfait, merci. Mais, c'est pas tout ça. Vous voulez que je meure de faim ou quoi ?

Une nouvelle confusion s'ensuivit, tandis que les jeunes lièvres disposaient boissons et victuailles devant leur hôte.

— V'là d'quoi vous remplir la panse, j'pense !

* Hase : femelle du lièvre.

secouait sans ménagements, petite
es détrempées serrée dans un cocon
de plus en plus lourd. Enfin, la
cocha, telle une flèche, en pleine
corps s'écrasa contre un vieux bou-
ue la tourmente poursuivait sa
andonnant le malheureux, incons-
elle.

prit peu à peu ses sens. Il faisait
bougeait dans la forêt, figée par le
ordant. Le givre étincelait sur les
gées de neige. Non loin de là, le
la lueur d'un feu, sans en ressen-
Un rire rauque lui parvint de la
et il entendit des bruits de voix.
ut s'approcher, le jeune rapace
e douleur. Tout son corps lui sem-
d'aiguillons de glace. Il était gelé
crucifié contre le tronc du vieil

vieux était assis tout près du feu.
ne âge, on voyait que le furet com-
antaine de voyous réunis autour de
erveux, plus fort et plus rapide que
vaient jamais osé le défier, il s'était
osé. Il faisait peur à voir, même à
a figure peinte de bandes verticales
tes et ses dents passées au rouge
son cou pendaient les dents et les
ennemis morts. Sa patte gauche
mmeau d'une longue épée recour-

— Et un pâté pour le vieux, un !

Dès que la vieille loutre fut servie, la hase fit signe aux jeunes de retourner s'asseoir.

— Maintenant, tenez-vous à carreau si vous voulez entendre l'histoire de monsieur Jédeau.

Les yeux du vieux Jédeau brillèrent de malice.

— Une histoire ? maugréa-t-il en ouvrant un petit pâté fumant en deux. J'ai jamais eu l'intention d'raconter quoi que ce soit, moi.

— Quoi ? Y bouffe la moitié de not'goûter et y veut pas raconter d'histoire ? s'indigna un levraut rond et gras.

La hase lui souffleta le bout de l'oreille.

— Lourdos ! Ça suffit ! Tu crois que tu mérites une histoire après pareille insolence ?

Jédeau prit une bonne lampée de bière de montagne, fit claquer ses lèvres et s'essuya la bouche du revers de la patte.

— Oh, vous savez, m'dame, rien n'vaut parfois une bonne histoire pour mettre du plomb dans la tête de ces garnements.

Aussitôt, les levrauts vociférèrent des encouragements à qui mieux mieux.

— C'est ça, vas-y, pépère !

— Ça nous f'ra vach'ment du bien, c'est sûr !

Le vieux malin attendit le retour du silence, puis, lorsque tous les regards, pleins d'espoir, se furent tournés vers lui, il commença :

— On m'appelle Jédeau le Vagabond, fils de Jédeau le Vagabond, petit-fils de Jédeau le Vagabond…

On entendit Lourdos marmonner :

— On a compris, pépère, allez accouche ! Aïe !

Cette fois, la taloche fut nettement plus appuyée et la hase lui lança un regard glacé :

— Que je t'entende encore une fois, et ça sera au lit sans dîner !

Lourdos se figea aussitôt dans l'immobilité la plus complète.

— J'ai roulé ma bosse toute ma vie, reprit Jédeau, allant par monts et par vaux sous les cieux. J'ai vu les neiges éternelles et parcouru des déserts si brûlants qu'on y tue pour quelques gouttes d'eau. J'ai partagé le repas de créatures étranges, et on m'a rapporté des légendes si mystérieuses qu'elles troublent encore ma mémoire et reviennent hanter mes nuits solitaires.

« Alors, écoutez-moi bien. Je vais vous raconter une merveilleuse épopée. C'est l'histoire d'un blaireau souverain, seigneur et maître de cette montagne, et de son ennemi juré, un furet chef de guerre. Ces deux-là en ont croisé plus d'un sur leur route, mais leur destin est lié, par-dessus tout, à celui de deux jeunes habitants de l'abbaye de Rougemuraille. Des êtres réunis par le hasard, pour le meilleur et pour le pire.

« Chacun suit l'étoile sous laquelle il est né, qu'elle soit bonne ou mauvaise. Pensez-y en écoutant mon histoire. Peut-être en tirerez-vous quelque leçon. Non pas au sujet des étoiles, mais sur le prix inestimable de l'amitié. »

bée et passée dans un baudrier* en peau de serpent, elle était pourvue de six griffes.

Aux cris du faucon, Sigrif le Vicieux se redressa. Gratifiant d'un coup de patte une belette vautrée près de lui, il grinça :

— Tricou ! Va voir c'qui s'passe.

Le gaillard s'enfonça aussitôt sous les arbres alourdis par la neige. Il ne tarda pas à découvrir Cresserel.

— Par ici ! C't'un imbécile d'oiseau qu'est gelé contre un arbre !

Sigrif grimaça méchamment en direction d'un jeune blaireau, attaché à une bûche par un licol. Le prisonnier, cruellement entravé et muselé de lanières de cuir vert, avait à peu près le même âge que le furet. Une large bande de poils jaune d'or ornait le dessus de sa tête. Le furet tira son épée et la pointa sur l'étonnante zébrure.

— Debout, Minus, emporte ton maître là-bas.

Des rires et des quolibets s'élevèrent de la racaille massée autour du feu : Sigrif, juché sur le dos du blaireau, le talonnait furieusement et le frappait du plat de son épée. Les liens étaient si serrés que le malheureux pouvait à peine avancer. Des grognements de douleur s'échappèrent de sa gueule.

Sigrif décida de faire durer le plaisir, hurlant à l'intention de sa bande :

---

* Baudrier : bande de cuir ou de tissu qui soutient une épée et que l'on porte en écharpe.

— Hue, cocotte ! Allez, Minus, bouge tes grosses fesses !

Plein d'appréhension, Cresserel vit le furet approcher, puis le regarder sous le bec en se léchant les babines d'un air mauvais.

— Voyons voir... Mais c't'un faucon qu'nous avons là. La chair est moins fine que celle d'une caille ou d'un pigeon, mais il est assez jeune et tendre, j'dirais. Alors, on est pris dans la glace, l'oisillon ? Tant mieux ! Ça t'gardera au frais pour mon p'tit déj' !

Tirant d'un coup sec sur la tête du blaireau, le furet attacha le licol à une branche basse du bouleau.

— V'là d'quoi t'occuper, Minus. T'as qu'à garder mon p'tit déj' jusqu'au matin. Tu vas finir par engraisser à rester couché près du feu à n'rien faire.

Et Sigrif le Vicieux rejoignit ses camarades en ricanant, laissant les deux malheureux bloqués dans la neige.

Une heure plus tard, on n'entendait plus que le craquement des bûches de pin dévorées par les flammes. Tout le monde dormait dans le campement silencieux. Soudain, le blaireau se jeta sans bruit sur le faucon, l'emprisonnant entre son grand corps et l'arbre. Le jeune rapace crut d'abord sa fin venue, puis il sentit la glace commencer à fondre à la chaleur de la douce fourrure. Le sang se réchauffait dans ses veines. Malgré les liens qui l'étouffaient, le blaireau tint bon jusqu'à ce que Cresserel puisse enfin bouger la tête et les ailes. Le jeune faucon tourna petit à petit la tête. Son regard plongea dans les yeux sombres du blaireau, de part et d'autre de la bande dorée. Les deux jeunes captifs se regardèrent, se comprenant en silence. Et le blaireau conserva son immobilité, tandis que le bec du faucon entrait en action. À coups brefs et précis, il déchiqueta les lanières de cuir qui enserraient l'énorme museau. Le blaireau fit marcher ses mâchoires, une fois, deux fois, puis, courbant sa large tête rayée, sectionna en un rien de temps les entraves de ses pattes. Ils étaient libres !

— Viens, l'ami, on s'en va ! chuchota Cresserel d'une voix rauque.

Le blaireau parut n'avoir rien entendu. Ses yeux étincelaient de fureur. Se dressant sur ses membres puissants, il saisit une branche de l'arbre et l'arracha d'une seule torsion du poignet. Puis il la cogna contre le tronc pour la casser en deux, jeta la partie la plus fine et saisit à deux pattes l'autre morceau. On aurait dit une sorte de massue géante, deux fois plus grande que le blaireau. Poussant un terrible cri de guerre, ce dernier chargea la racaille endormie autour du feu.

— Ioulaliiiie !

Le camp se réveilla en sursaut. Fauchées par la terrible massue, deux belettes s'effondrèrent sur le passage du blaireau, qui fonçait droit sur Sigrif. Avant que celui-ci ait pu tirer son épée, la massue s'abattit sur sa patte aux six griffes. Le furet hurla de douleur et s'effondra en hurlant :

— Attrapez-le ! Tuez-le !

Cresserel vit le blaireau disparaître sous une foule d'assaillants qui s'efforçaient de le plaquer à terre. Le faucon fondit sur eux, bec et serres en avant. Malgré le poids de ses ennemis, le blaireau tenait bon. Aussi solide qu'un jeune chêne, il maniait son arme avec vigueur, faisant résonner le cri de guerre qui venait du plus profond de sa poitrine dans toute la forêt.

— Ioulaliiiie !

Cresserel songea que son ami était complètement fou. Leurs ennemis avaient l'avantage du nombre, ils auraient bientôt raison d'eux. Le jeune faucon se fraya un passage à coups de bec, puis se posa sur l'épaule du blaireau et lui cria à l'oreille :

— On va se faire tuer tous les deux ! Il faut fuir !

Le blaireau se rapprocha pas à pas du feu, puis se mit à éparpiller les bûches ardentes avec sa massue, en visant ses assaillants. Une pluie d'étincelles jaillissait sous les coups et les morceaux de bois enflammé volaient avec un sourd grondement, puis s'abattaient en sifflant un peu partout dans la neige, produisant d'épais nuages de cendre et de fumée. Alors le jeune blaireau s'élança dans les profondeurs de la forêt, son ami toujours cramponné à son épaule.

La confusion régnait dans le camp désolé, livré aux cendres, à la fumée et au froid glacé de la nuit. Une fouine du nom de Benêt s'extirpa de la congère où la massue du blaireau l'avait envoyée bouler. Massant son dos douloureux, le lascar se traîna auprès d'une vieille renarde, Mortifère, qui s'occupait de confectionner un cataplasme d'herbes et de neige pour la patte de Sigrif. Benêt faucha discrètement une poignée d'herbes et s'en frotta le dos avant de demander :

— On les rattrape et on les tire avec nos flèches ?

— Ouais, vaut mieux y aller tout d'suite, avant qu'y soient trop loin, répondit la renarde sans lever les yeux.

Furieux, Sigrif voulut soulever sa patte blessée, mais le geste lui arracha un rugissement de douleur. Son bras pendait le long de son torse, parcouru d'élancements.

— Imbéciles ! Rallumez le feu, vite, avant qu'on ne meure complètement de froid, cracha-t-il. Les suivre ? Avec ma patte écrasée, les morts et les blessés ? C'est moi qui commande, espèce d'abrutis, on les suivra quand je l'dirai, pas avant !

Rapide comme l'éclair, il attrapa la fouine de sa patte valide et l'attira à lui. Benêt reçut l'haleine fumante du furet en pleine figure :

— Mais quand ma patte sera guérie, ce blaireau pourra bien se cacher, jamais il n'échappera à Sigrif le Vicieux. Je le suivrai jusqu'au bout du monde, jusqu'aux portes de l'enfer s'il le faut. Même si ça doit me prendre dix saisons ! Et alors, j'le découperai en morceaux avec mon épée et j'le ferai mourir à petit feu !

Mortifère la renarde poursuivait son travail, fixant le cataplasme à l'aide d'écorces de peuplier et de boue prélevée à l'emplacement du feu.

— Si tu laisses passer la nuit, il te faudra pas moins de toute ta vie pour le retrouver, insinua-t-elle en serrant plus fort.

Sigrif grimaça.

— La ferme, femelle. Toujours à prévoir l'avenir ou à m'dicter ma conduite ! J'pourrais bien décider définitivement de ton propre avenir d'un coup d'épée, au moins tu ne l'ouvrirais plus !

Benêt étouffait sous la poigne du furet. Celui-ci le regarda comme s'il le découvrait soudain, et le repoussa brutalement.

— Qu'est-ce qu'il a à gargouiller comme ça, celui-là ? Grouille-toi de rallumer l'feu ? Tricou, Croupion ! Allez chercher du bois sec ! Les autres, débarrassez-moi d'ces cadavres et nettoyez-moi tout ça !

Un peu plus tard, tandis que les flammes léchaient avidement les branches résineuses, Sigrif se laissa aller en arrière en serrant les dents.

— On se retrouv'ra, blaireau, gronda-t-il. Profite bien de ces quelques jours de répit. J't'aurai, Minus !

Le blaireau ne s'arrêta que le jour venu, dans le matin froid et cristallin. Il se laissa lourdement tomber dans la neige, au milieu d'une petite clairière à la lisière de la forêt, envoyant voleter Cresserel.

L'énorme blaireau resta un moment allongé de tout son long, pantelant, de la vapeur s'exhalant de son épaisse fourrure. Enfin il s'assit et se mit à enfourner de pleines poignées de neige pour se rafraîchir.

Cresserel sautillait alentour. Il vérifia le bon fonctionnement de ses ailes en exécutant deux ou trois piqués et constata, rassuré, que ses ailerons étaient intacts. Heureux d'être en vie, il s'ébroua et ouvrit largement les ailes.

— Hiiii ! Repose-toi, mon ami. Après, nous partirons loin d'ici.

Le blaireau se leva et ramassa sa massue.

— Parle pour toi. Moi, dès que j'aurai trouvé quelque chose à manger et repris des forces, je retourne là-bas pour tuer ce vaurien de Sigrif.

Le jeune faucon se mit à voler en rond autour de la tête de son nouvel ami, effleurant du bout des ailes l'énorme museau doré.

— Hiiikiii ! Autant signer ton arrêt de mort, l'ami. Ils sont trop nombreux, ils te tueront !

Le blaireau serra les dents, tremblant de rage.

— J'ai été l'esclave de ce furet des saisons durant, il m'a traîné partout, muselé et entravé, il m'a frappé, humilié, affamé. Minus ! – c'est comme ça qu'il m'appelait, Minus ! – Je lui ferai répéter cinquante fois mon vrai nom avant de le tuer d'un coup de massue. Mais... je ne sais même pas comment je m'appelle !

Faisant tournoyer sa massue, le blaireau fonça sur un orme mort et écrasa le bois pourri d'un coup puissant, défonçant profondément la vieille souche. Cresserel poussa un cri perçant.

— Criii ! Regarde ! À manger !

Une avalanche de noisettes, de châtaignes et de glands se déversait dans la neige, sans doute des réserves laissées là par un écureuil. Quelle chance ! Oubliant momentanément leur colère, les deux amis éclatèrent de rire et se jetèrent sur le précieux trésor. Assis sur la souche, le blaireau brisa les coquilles sous ses dents puissantes, puis présenta les fruits à son ami. Quelques instants plus tard, ils mâchaient tous les deux de bon cœur.

— Mmm, je m'appelle Cresserel, déclara le faucon, le bec plein de châtaigne. J'étais seul et tu m'as sauvé la vie. Et toi, d'où viens-tu, l'ami ?

Le blaireau à tête d'or se gratta le crâne d'un air pensif.

— Je ne sais pas trop. Je crois que ma mère s'appelait Bella, Bellène ou quelque chose comme ça. Je m'en souviens à peine, j'étais tout petit. En revanche, je me rappelle d'un nom : Biso le Héros. Peut-être mon père ? Ou mon grand-père ? Et puis, il y a la montagne. Est-ce que c'est là que j'habitais ? Tout est tellement confus. Mais une chose est sûre : je n'oublierai jamais Sigrif le Vicieux.

Le jeune blaireau leva un regard interrogateur sur son ami le faucon.

— Peut-être qu'il avait raison, que je m'appelle vraiment Minus. C'est lui qui m'a donné ce nom. Tu crois que je pourrais m'appeler autrement, mon brave Cresserel ?

Le faucon sentit la pitié l'envahir. Il sauta sur la puissante épaule à la fourrure sombre et s'écria :

— Criii ! Je ne connais pas ton nom. Mais je sais que tu es un grand guerrier. Personne n'est aussi fort et rapide que toi avec une massue !

Le blaireau saisit la lourde branche et la soupesa.

— Tu appelles ça une massue ?

Cresserel regarda le jeune costaud avec sa branche d'arbre.

— À mon avis, personne ne viendra affirmer le contraire. Les guerriers de ta trempe peuvent dire ce qu'ils veulent. Tu ne connais pas ton vrai nom ? Je vais t'en trouver un. Tu portes la marque du soleil sur ton front et tu possèdes la puissance du tonnerre… Je te nomme Solaris le Formidable !

Le blaireau rit de plaisir. Se dressant de toute sa hauteur, il fit tournoyer l'énorme branche de bouleau au-dessus de sa tête en tonnant :

— J'ai un nom ! Un beau nom ! Je sais qui je suis ! Je suis Solaris le Formidable ! Ioulaliiiie !

Cresserel prit son vol, puis, décrivant des cercles haut dans les airs, se mit à crier sauvagement :

— Criiii ! Criiii ! Solaris le Formidable ! Criiii !

Lorsqu'il se reposa sur le sol, Solaris avait déjà rebroussé chemin vers la forêt. Cresserel voleta sous les branches à sa poursuite.

— Solaris ! Mais où vas-tu ?

Le blaireau écarta le faucon d'un geste. Le sang de ses ancêtres guerriers lui assombrissait le regard.

— Hors de mon chemin ! gronda-t-il. Je m'en vais régler mes comptes avec ce furet !

— Eh bien, tu vas mourir ! répliqua le faucon, qui réussit à se percher de nouveau sur la puissante épaule et s'y accrocha solidement. Sigrif et sa bande sont trop nombreux, je te l'ai déjà dit. Même pour toi. Mais j'ai juré de rester à tes côtés. Je viens avec toi, nous nous ferons tuer ensemble !

Solaris s'arrêta.

— Que veux-tu que je fasse d'autre ? demanda-t-il, perplexe. Sigrif est mon ennemi !

Cresserel était déjà plein de sagesse pour un jeune faucon. Il donna un léger coup de bec sur le crâne de Solaris.

— Fais marcher ta cervelle ! Tu es courageux, mais têtu comme une mule. Pourquoi risquer ta vie maintenant, quand tu n'as aucune chance de gagner, alors que nous pouvons vaincre sûrement en prenant notre temps ?

Solaris s'assit dans la neige et posa le menton sur sa massue, les yeux tournés vers son compagnon.

— Comment ça ? Explique-moi, je t'écoute.

C'est ainsi que commença l'éducation de Solaris le Formidable. Cresserel dévoila son plan, à la fois simple et efficace.

— Inutile de courir après Sigrif, il se chargera lui-même de nous pourchasser. Laissons-le se fatiguer à nous chercher dans cette contrée glacée pendant que nous nous réfugions sur des terres plus hospitalières, où nous pourrons prendre des forces. Je serai tes yeux et tes oreilles, tout là-haut dans le ciel. Je surveillerai Sigrif et sa bande, j'irai aux renseignements. À chaque fois que l'occasion se présentera, nous frapperons. Comme des guêpes, nous les harcèlerons. On en tuera un ou deux à chaque fois. Un coup par-ci, un coup par-là, Solaris frappe et disparaît. Alors Sigrif va commencer à te craindre. Il comprendra que tu n'abandonneras jamais, et qu'un jour où il se retournera, tu seras là, prêt à le tuer. Au début, il sera troublé. Mais bientôt il en perdra le sommeil. Voilà mon plan. Qu'en penses-tu ?

Un large sourire s'épanouit sur la figure de Solaris.

— Génial, Cresserel ! Il faut que j'apprenne à réfléchir comme toi. Vas-y, je te suis.

Ce jour-là, les deux amis prirent la direction du sud-ouest, entamant un voyage qui allait durer de nombreuses saisons. Solaris franchissait montagnes, plaines et vallées, tandis que Cresserel volait très haut au-dessus de lui pour reconnaître le terrain. L'hiver passa, le printemps fleurit. Les deux amis voyageaient toujours de concert, mûrissant ensemble et gagnant en sagesse avec l'expérience. Solaris ne supportait pas l'injustice. À chaque fois qu'il rencontrait des esclaves ou des opprimés, le grand blaireau faisait payer un terrible prix à leurs bourreaux, en souvenir des tourments que lui avait infligés Sigrif.

Son nom et sa réputation se répandirent à travers tout le pays. Des chansons, des poèmes étaient composés sur son passage. Tous vantaient les exploits de Solaris le Formidable.

Les saisons passaient, mais les choses n'évoluaient pas tout à fait comme Cresserel l'avait prévu. Sigrif le Vicieux les avait bien poursuivis, et le blaireau et son ami les harcelaient bien sans répit. Ils frappaient peu mais juste, et à chaque attaque éclair de Solaris Sigrif perdait une fouine ou deux belettes. Les rangs commençaient à se clairsemer. Mais le furet était malin. Par un matin ensoleillé, dans les collines basses qui bordent au nord la forêt de Mousseray, il comprit quelle était la tactique du blaireau.

Deux de ses sbires préférés, Piquet la belette et Boulet le furet, tous deux combattants sûrs et aguerris, avaient disparu durant la nuit. Tassé au-dessus d'un petit feu, Sigrif massait sa patte blessée. Le membre avait retrouvé toute sa vigueur de l'épaule jusqu'au coude, mais la patte aux six griffes pendait irrémédiablement, à jamais sans vie. Elle le faisait souffrir tous les matins, lui rappelant la nuit d'hiver où le jeune blaireau l'avait écrasée d'un coup de branche de bouleau. Mortifère approcha, flanquée de trois rats partis à la recherche des disparus. Sigrif enfila prestement un lourd gant de mailles sur sa patte morte. Fermé de deux crochets de cuivre, il constituait une arme redoutable. Le furet leva les yeux sur la renarde :

— Alors, vous les avez trouvés ?

Mortifère s'accroupit de l'autre côté du feu.

— Mouais... assis contre un sycomore, au milieu du bosquet là-bas, raides morts. Et chacun avait ça dans la patte.

Elle lança deux fleurs jaunes à longue tige à son chef.

Sigrif inspecta les fleurs.

— On dirait des tournesols ?

En bonne guérisseuse, Mortifère connaissait parfaitement le nom des plantes.

— Des tournesols, c'est ça. La plante qui se tourne vers le soleil. Son vrai nom est hélianthe, la fleur solaire... Ça te rappelle pas quelqu'un ?

Sigrif jeta les fleurs dans le feu et les regarda se tordre dans les flammes.

— Si. Pas besoin d'avoir inventé le fil à couper l'beurre.

— Tu aurais dû le tuer tout de suite, grinça la renarde en plissant les yeux à cause de la fumée.

Sigrif bondit. Tirant son épée, il éparpilla les braises en hurlant :

— J'aurais dû ! J'aurais pu ! Si j'avais su ! Tout ça, c'est du passé ! Active-moi cette bande de paresseux ! On lève le camp ! En direction de l'est !

La renarde évita de peu une braise rougeoyante.

— L'est ? Mais, les éclaireurs ont dit que Solaris marchait toujours vers le sud-ouest. Qu'est-ce qu'on va faire à l'est ?

— Retrouver Argon !

Mortifère leva un sourcil étonné.

— Argon ? Mais, c'est un seigneur de la guerre ?

— Il paraît, ricana Sigrif en rengainant son épée. Mais tu peux le surnommer Argon le Croulant ou Argon le Mou !

La renarde haussa les épaules.

— N'empêche qu'il dirige une sacrée horde.

— Plus pour longtemps, rétorqua Sigrif d'un air mauvais.

Chapitre II

Au nord-ouest, la forêt de Mousseray est bordée d'affleurements rocheux et de ravins inhospitaliers. On pourrait s'étonner que des êtres aient pu s'installer là alors que la terre est si riche et si accueillante dès qu'on s'enfonce dans les bois, mais chacun reste souvent attaché au lieu de sa naissance : beaucoup rechignent à quitter la terre de leurs ancêtres. C'était le cas du hérisson Timi Piquant et de la taupe Tarin Miraud, son ami, dont les familles partageaient la même grotte depuis des générations. Timi et sa femme, Mimi, avaient quatre bébés hérissons, âgés tout juste d'une saison et demie. Tarin avait lui aussi cinq bouches à nourrir, avec sa femme, Nénette, leurs deux filles, Lili et Lulu, le vieil oncle Blair et la tante Narine.

Or, les temps étaient durs dans la grotte. Dehors, sous la bruine grise et fine de l'après-midi, une autre famille attendait. Une famille de cinq renards. La vieille femelle et son fils obèse gardaient la sortie de derrière, pendant que le père, un goupil aussi vieux que sa femme, était tapi devant l'entrée principale avec son fils aîné et sa fille, qui le dominaient déjà d'une tête. Les renards faisaient le siège de la grotte. Harcelant les hérissons et les taupes tantôt de raisonnements, tantôt de quolibets, ils attendaient que la faim pousse les malheureux dehors.

— Soyez pas bêtes, sortez d'là ! On a plein d'bonnes choses à manger, les amis ! susurra une fois de plus la renarde d'une voix cajoleuse.

Timi Piquant tonna en retour :

— Fichez l'camp, tas d'vermine ! Z'avez rien à faire ici !

Le gros fils de la renarde ricana. Puis il colla son museau à l'entrée de derrière.

— Hé, v'nez voir, on va s'régaler. Ohé !

Sa mère lui tira méchamment l'oreille.

— Tais-toi donc, imbécile ! Tu veux leur flanquer la frousse de leur vie ?

— Allez, soyez raisonnable, reprit le père à l'autre entrée. On veut juste vous parler. Vous croyez quand même pas qu'on f'rait du mal à des bébés ?

À l'intérieur, Tarin Miraud aidait Timi à consolider la barricade de meubles avec le peu de terre et de cailloux qu'ils arrivaient à gratter sur les parois rocheuses de la grotte. Il secoua tristement sa tête de velours sombre.

— Ah, si seul'ment j'avions mon arrc et mes flèches. J'les ferrions décamper en vitesse, pourr sûrr ! dit-il à son ami avec son drôle d'accent.

Timi Piquant, profitant d'un trou dans la barricade entre une table et un fauteuil, jeta un coup d'œil sur les renards assis dehors.

— Le temps joue pour eux, Tarin. Nos petiots ont bu la dernière goutte d'eau c'matin, et on a plus qu'un quignon d'pain rassis avant d'mourir de faim !

La voix chevrotante d'oncle Blair s'éleva dans leur dos.

— Bande de chacals ! J'allions leurr fairrre tâter du bâton, y verrront ben de quel bois j'me chauffions ! Non mais !

Tarin attrapa gentiment l'ancien par les épaules et lui fit faire demi-tour.

Au fond de la grotte, les petits hérissons se mirent à pleurer, réclamant à boire et à manger. Mimi et Nénette, les deux mamans, leur firent gentiment signe de se taire. Résigné, abattu, le petit groupe se prépara à une mort certaine.

Assis au milieu des pins sur une colline avoisinante, Solaris le Formidable observait la scène à l'insu des renards. La pluie dégoulinait de la vieille houppelande verte qu'il tenait sur sa tête. De temps à autre, le grand blaireau levait les yeux vers le ciel gris, espérant voir la silhouette familière de Cresserel crever le rideau de bruine. Puis il reposait le menton sur le manche de sa massue. Avec le temps, il en avait fait une arme redoutable, l'arme de sa vie. Une lanière de cuir, terminée par une boucle qu'il passait autour de son poignet, enserrait le manche. Le bois avait été durci au feu, puis soigneusement huilé et poli. La partie la plus large, désormais arrondie, était hérissée de pointes de flèches et d'aiguillons. Seul Solaris possédait la force et l'adresse nécessaires au maniement de sa terrible masse.

Cresserel avait vu les renards, lui aussi. Il se posa à l'écart, puis grimpa discrètement jusqu'à Solaris.

— Cresserel, mon ami ! chuchota le blaireau sans quitter les renards des yeux. Tu as des nouvelles de Sigrif le Vicieux ?

Le faucon se glissa sous la houppelande, à l'abri du crachin.

— Il a bifurqué vers l'est il y a trois levers de soleil. Peut-être qu'on y a été un peu fort ; ça devenait trop dangereux pour lui de nous suivre.

— Tu as sûrement raison, répondit Solaris, les yeux toujours fixés sur la scène qui se déroulait en bas. Mais il nous retrouvera bien un jour, quand il sera un peu plus vieux, plus méchant et beaucoup plus entouré. Sa patte écrasée l'empêchera de nous oublier. Et si on l'attendait là ?

Le faucon examina les renards de son regard perçant.

— Ils sont tous de la même famille, on dirait. Qu'est-ce qu'ils fabriquent ?

Solaris pointa son énorme patte sur l'entrée de la grotte.

— Je crois qu'ils ont coincé des malheureux là-dedans. Je t'attendais. Ces renards sont des brutes, mais ils ne méritent pas la mort, juste une bonne leçon. S'ils me voient, ils vont s'enfuir à toutes pattes. Tu veux bien descendre leur parler à ma place ?

La jeune renarde et ses frères commençaient à s'impatienter. Tous trois se mirent à lancer des pierres sur l'entrée de la grotte en hurlant :

— Sortez d'là, espèce de corniauds !

— J'compte jusqu'à dix et on vient vous chercher… Un !

Cresserel se posa entre les renards et la grotte.

— Criii ! Vous devez partir d'ici !

— Qui es-tu, l'oiseau ? s'indigna le vieux renard, pas le moins du monde impressionné. Qu'est-ce que tu veux ?

— Qui je suis, ça ne te regarde pas, rétorqua le faucon avec dédain. On m'a envoyé vous dire de décamper en vitesse et d'arrêter de persécuter les habitants de la grotte.

La vieille renarde et son gros fils arrivèrent en courant de l'entrée de derrière. Le jeune rustaud ramassa une pierre et fit mine de la lancer sur le faucon.

Cresserel écarta les ailes.

— Lance la pierre et tu ne reverras pas le soleil se lever !

— Il bluffe, ricana la vieille renarde. Il est tout seul ! Sautez-lui d'ssus !

Avant qu'ils n'aient pu faire un geste, la massue passa en sifflant devant eux et se ficha à la verticale dans le sol détrempé. Une voix de tonnerre les figea sur place.

— Ne bougez plus ou je vous tue tout de suite ! Ioulaliiiie !

Pétrifiés, les renards regardèrent le blaireau géant qui dévalait la pente à toute vitesse.

— C'est moi, Solaris le Formidable !

Les renards connaissaient ce nom. Ils s'aplatirent en tremblant sur le sol.

Solaris fit signe de la tête à Cresserel.

— Va voir dans la grotte. Dis à ses habitants qu'ils n'ont plus rien à craindre.

Nénette, la femme de Tarin Miraud, jeta un coup d'œil dehors et s'écria :

— Ça alorrs ! Un rrapace !

Le vieil oncle Blair s'éveilla en sursaut de sa sieste.

— Un rrapace ? Où ça ? Attendez qu'j'attrrapions mon bâton, j'allions lui clouer l'bec !

— D'abord les r'nards et maintenant un faucon, cria Timi en grimpant sur la barricade. Quelle journée ! Eh ben, l'ami, tu veux nous manger, toi aussi ?

Cresserel s'efforça de sourire et d'adoucir sa voix :

— Pas le moins du monde. Je suis votre ami. Vous avez entendu parler de Solaris le Formidable ?

Mimi, la femme de Timi, passa sa tête hérissée de piquants par un trou de la barricade.

— Solaris le Formidable ? Oui, p't-être ben. Même qu'y paraît que c'est un grand guerrier. Il est là ? Je s'rais bien honorée d'lui serrer la patte !

Il fallut beaucoup d'efforts et de patience pour convaincre l'oncle Blair et la tante Narine de sortir de la grotte, mais les petits n'hésitèrent pas une seconde à courir vers le grand blaireau majestueux. Timi et Tarin étaient figés d'admiration. Quant aux renards, ils étaient toujours aplatis le museau dans la boue, sous l'œil féroce de Cresserel.

Le grand blaireau écouta attentivement Timi, qui lui raconta au nom des deux familles comment les renards les avaient assiégés et affamés. Solaris réprima un sourire en sentant les deux filles de Tarin lécher les gouttes de pluie sur ses énormes pattes. Puis, avec un clin d'œil à Cresserel, il brandit sa massue et déclara :

— Fais lever cette racaille, mon ami, que je voie leurs faces viles avant de décider de leur sort !

Les renards, apeurés, levèrent en pleurant leur figure maculée de boue vers le blaireau à la mine sévère.

— Alors, voilà ceux qui persécutent les faibles et les vieillards, et qui s'amusent à terroriser les êtres sans défense ? Eh bien, expliquez-vous !

Le vieux renard ouvrit la bouche, mais Cresserel le réduisit au silence d'un coup d'aile. Le faucon connaissait bien son rôle. Affectant un air carnassier, il se mit à se pavaner de long en large.

— Messire Solaris, ces moins que rien n'ont pas droit à la parole. Ce ne sont que des bandits, des êtres maléfiques. Ils méritent la mort !

— Oh nooon ! De grâce, Seigneur ! Pitié ! On voulait pas leur faire de mal !

De nouveau, toute la famille se vautrait dans la boue en gémissant piteusement. Cresserel cligna de l'œil en direction de Solaris. Le blaireau fit tourner sa massue entre ses pattes.

— Mmm, grogna-t-il, l'air pensif. Si on les tue ici, on risque de faire peur aux petits, sans compter qu'il va falloir creuser des tombes et y traîner les carcasses…

Il cligna de l'œil vers Timi, qui avait déjà compris le jeu.

— Qu'en pensez-vous, monsieur ? Après tout, c'est vous et votre famille qui êtes les victimes.

Timi Piquant marcha sur les nuques des renards d'un air méditatif, leur écrasant la figure dans la boue au passage.

— C'est sûr, Messire, mais si vous n'étiez pas arrivé, y nous auraient tous tués, aussi vrai qu'je m'appelle Timi. P't-être ben que vous devriez les emm'ner dans un coin pour les finir discrètement, c'est tout ce qu'y méritent. À vous de décider, messire Solaris.

Les gargouillis apeurés des renards montèrent d'un cran. Solaris dut élever la voix pour se faire entendre.

— Je crois que je vais en finir sur-le-champ si ce raffut continue ! tonna-t-il.

Aussitôt, les renards tremblants se firent muets comme des carpes.

Solaris sortit de sa poche une grande feuille de lilas, la plia en deux le long de la nervure centrale, puis la coinça entre ses pouces et la porta à ses lèvres.

— Pfffoui ! souffla-t-il avant de tendre la feuille à Timi Piquant. Tu sais siffler comme ça ?

Le hérisson prit la feuille et siffla encore plus fort que Solaris.

— Siffler avec une feuille, c'était mon passe-temps favori quand j'étais petiot. Pourquoi ?

Solaris se retourna vers les renards, la mine grave.

— Tous ces gentils hérissons et leurs amies les taupes vont apprendre à siffler comme moi. Ils porteront une feuille sur eux nuit et jour. Le faucon est capable d'entendre le coup de sifflet à un jour de vol. Et s'il ne l'entend pas, les autres oiseaux l'entendront et iront le prévenir. Alors, écoutez-moi bien, goupils, si vous tenez à la vie. Vous allez partir vers le nord. Jamais – vous m'entendez ? –, jamais vous ne remettrez les pattes dans ces bois. Sinon, ceux que vous avez persécutés me préviendront. Et moi, Solaris, je le jure sur ma massue, je vous retrouverai et vous réduirai en chair à pâté. C'est bien compris ?

Bien trop effrayés pour répondre, les renards

hochèrent furieusement la tête de haut en bas. Alors Solaris se mit à faire passer sa terrible massue d'une patte à l'autre, en grondant d'une voix de plus en plus forte :

— J'ai épargné une fois vos vies inutiles, mais si vous êtes encore là quand j'aurai fini de parler, je risque fort de regretter ma décision. Alors, montrez-moi donc comme vous courez. Vite !

Les cinq renards démarrèrent en trombe dans un tourbillon de terre et d'herbe arrachée. Quelques instants plus tard, le bruit lointain de leur course disparut tout à fait. Le silence retomba devant la grotte des Miraud-Piquant. Soudain, un énorme éclat de rire secoua les amis soulagés.

— Ho, ho, ho ! On aurait dit des grenouilles ébouillantées !

— Ha, ha, ha ! Le nez plein d'boue et la peurr aux fesses !

Une fois les rires calmés, on fit les présentations, on se tapa dans le dos et on remercia chaleureusement Solaris et Cresserel. Les quatre bébés hérissons et les deux jeunes taupes n'avaient jamais vu quelqu'un d'aussi grand que Solaris. Ils grimpèrent sur lui, sourirent sous son nez et caressèrent la large bande de poils couleur or sur sa tête.

— T'es comme une montagne avec d'la fourrrrurrre dessus ! osa une jeune taupe.

— T'es mazique, c'est sûr ! reprit l'un des bébés hérissons en zozotant.

Le blaireau ne bougeait pas d'un pouce, de peur d'effrayer ses minuscules admirateurs. Son énorme face était plissée d'un large sourire de plaisir. Jamais il n'avait vu d'êtres aussi petits et affectueux. Mimi, la femme de Timi Piquant, et son amie Nénette la taupe se précipitèrent toutes gênées, la tête enfouie dans leur tablier.

— Voulez-vous bien laisser l'monsieur tranquille ? Quelle honte, qu'est-ce qu'y va penser ?

— Vrrai, Messirrre, entrrez donc vous rreposer un instant dans not'grrotte avec votrre ami. On s'rra d'rretourr pourr midi avec tout plein d'bonnes choses à manger. J'allions vous prréparrrer un festin, que vous m'en dirrrez des nouvelles !

Les deux familles disparurent dans les bois environnants, laissant Solaris et Cresserel dans la grotte. Les deux compères démontèrent la barricade, puis s'installèrent sur les épaisses nattes de jonc tressé. Tranquilles et bien au chaud dans cette atmosphère douillette, ils s'endormirent bientôt d'un profond sommeil.

Solaris rêvait. Il y avait le sable blanc, la mer et la montagne, le bruit des vagues venant lécher le rivage. Une nostalgie poignante lui étreignit le cœur. Comme il aurait aimé se trouver là ! Et pourtant, tout cela semblait tellement lointain, tellement irréel. Comme sortie de nulle part, la voix profonde d'un blaireau mâle adulte entonna :

Tu me trouveras un jour sous le soleil,
Moi, le gardien de la terre et des mers,
Comme le ru se jette dans la rivière,*

* Ru : petit ruisseau.

Et raconte son histoire au vent.
Tu es seigneur, par le sang de tes ancêtres.
Quand sonnera l'heure, bientôt, peut-être,
Cherche bien, n'oublie pas ma chanson.
Tes rêves alors s'accompliront.

Le grand blaireau revint lentement à la réalité. Un bon feu rougeoyait près de lui, des odeurs alléchantes lui chatouillaient les narines, tandis que les petits hérissons et les deux jeunes taupes lui tapotaient la tête et tiraient les plumes de Cresserel.

— Debout, Messirrres!

— Y a plein à manzer!

— C'est prêt, qu'elle a dit m'man!

Timi les chassa d'un geste.

— Allez, ouste! Laissez donc ces messires se l'ver tranquilles.

Autour du feu allumé au centre de la grotte, plusieurs préparations refroidissaient sur des pierres plates. Tarin Miraud leur tendit des gobelets, qu'il remplit du contenu d'une cruche en terre.

— Tenez, les gars. C'est rien qu'du jus d'pissenlit et d'barrdane, mais l'est frrais, et ça fait du bien parr où ça passe!

Le breuvage sombre était délicieusement sucré, aussi les deux amis étanchèrent-ils leur soif sans se faire prier. Mimi Piquant poussa deux de ses petits devant eux.

— Allez, mes mignons, t'nez-vous droits, c'est à vous! Et arrêtez une seconde de sucer vos piquants, ou y durciront jamais!

Les deux bébés hérissons se balancèrent d'une patte sur l'autre, le nez respectueusement baissé, tout en récitant :

— Merci, messire faucon et messire blaireau...

— D'nous avoir tous sauvés...

— Des vilains r'nards...

— Ouais, trop vilains même !

— D'ces sales renards puants !

— D'cette pourriture de r'nards horribles et dégoûtants !

Mimi leva la patte.

— Allons, allons ! Ça suffit ! Vous avez assez dit merci !

Elle se tourna vers les deux amis, qui avaient piqué du nez dans leur gobelet pour cacher leur amusement.

— Ce que mes petiots y veulent dire, c'est qu'nos deux familles voudraient vous remercier pour c'que vous avez fait. Vous pouvez rester aussi longtemps qu'vous voudrez, vous êtes ici chez vous. Allez, assez parlé. Servez-vous !

Jamais Solaris et Cresserel n'avaient aussi bien mangé. Il y avait de la soupe aux poireaux, des tartines grillées avec du beurre de faine, une salade de crudités et, pour finir, un énorme chausson aux pommes et aux reines-claudes. Le dessert eut beaucoup de succès auprès des petits, qui le badigeonnèrent copieusement de miel.

Solaris avait un appétit d'ogre. Il était prêt à se priver pour les autres, mais les deux maîtresses de maison ne voulurent rien entendre.

— Rresserrvez-vous donc, Messirrre ! l'encouragea Nénette. On a toute la forrrêt pourr trrouver à manger. Maint'nant, on est librres comme l'airr, grrâce à vous !

Alors, Solaris le Formidable engloutit le reste du festin.

La nuit était bien avancée. Le grand blaireau et son ami étaient affalés près du feu, reposés, bien au chaud et incapables, pour la première fois depuis longtemps, d'avaler une bouchée de plus. La tante Narine sortit un drôle d'instrument, une sorte de long bâton avec des clochettes, deux cordes et un tambour à la base. La vieille taupe pinça les cordes, agita les clochettes et frappa du pied sur le tambour. Les petits, bien trop excités pour dormir, se mirent à danser la gigue autour du feu en tapant dans leurs pattes.

— Youpiii ! Un p'tit coup d'zinzin !

Le vieil oncle Blair entonna une chanson tout en battant la mesure. La musique s'accéléra, les petits sautèrent et tournoyèrent de plus en plus vite, jusqu'à ce qu'ils s'écroulent les uns par-dessus les autres en riant aux éclats, réclamant du jus de pissenlit à cor et à cri. Timi proposa à ses hôtes qu'ils chantent à leur tour une chanson, mais les deux invités refusèrent : Cresserel parce qu'il était bien trop timide, et Solaris parce qu'il n'en avait jamais appris, ayant passé, comme il leur expliqua, presque toute sa vie en captivité.

Le brave hérisson tapota l'énorme patte du blaireau.

— Par mes piquants, quelle pitié, tout d'même ! Mais vous faites pas d'bile. Ma femme, Mimi, a une voix d'rossignol, et elle va vous remonter l'moral !

Mimi Piquant avait en effet une jolie voix claire. Elle entonna une ritournelle pleine de malice qui les fit tous rire de bon cœur. Les deux familles s'amusaient souvent à chanter et à danser. Chacun y alla donc de sa chansonnette. Puis, on laissa le feu se réduire à un tas de braises et on alla se coucher, au fond de la grotte sombre et chaude.

Solaris se sentait heureux comme jamais. Il fredonnait tout seul lorsqu'il entendit un bébé hérisson entonner une drôle de berceuse d'une voix ensommeillée :

Dors malan satan, là-bas au sud, à l'ouest,
Dans'rons à la mant', c'est là que j'aime être,
Armons sal adant, où mouette prend son vol,
Dans alarm atons, chante, danse et batifole.

À chaque fois que le petit arrivait au bout du refrain, il recommençait du début, sur un rythme de plus en plus lent. Et lorsque le sommeil le fit taire complètement, la triste mélodie et ses paroles mystérieuses continuèrent de tourner dans la tête du grand blaireau. Finalement, il secoua doucement Timi par l'épaule.

— Excusez-moi, monsieur Piquant, vous dormez ?

— Mmm… presque. Qu'est-ce qu'y vous fallait ?

— La chanson que chantait votre petit, c'est quoi ?

— Celle avec les mots tout mélangés ? Oh, c'est une vieille berceuse que la mère d'ma Mimi lui chantait quand elle était petiote, et sans doute la mère de sa mère avant elle et ainsi d'suite. Tous les bébés hérissons la connaissent. L'air est pas mal, mais c'est vraiment du charabia.

Solaris contemplait les braises rougeoyantes entre ses yeux mi-clos.

— Je ne sais pas pourquoi, mais j'aimerais l'apprendre, dit-il enfin.

Timi sourit et se roula en boule confortablement.

— Je demand'rai aux petiots demain matin. Y s'feront un plaisir de vous rendre service, Messire.

Chapitre III

Les saisons passèrent, l'automne arriva avec ses fruits mûrs. Dans les montagnes de l'Est, les tambours d'Argon le furet sonnèrent l'alerte lorsque Sigrif et ses gueux traversèrent le maquis dans leur direction. L'appel des tambours parvint aux oreilles de trois rats. Les messagers d'Argon filèrent aussitôt vers un long talus qui plissait le paysage comme une vieille cicatrice.

Au pied de l'escarpement, serrées les unes contre les autres tels des nuages d'orage, se dressaient les tentes d'Argon, le seigneur de la guerre de cette contrée. Les messagers s'arrêtèrent sous l'auvent pourpre de la grande tente du milieu et se prosternèrent au pied du dais. Argon se prélassait sur son trône, le regard rétréci par ses paupières gonflées et ses traits bouffis. Le vieux furet se pencha sur son énorme panse en grognant.

— Quoi dire tombours ?

Au son du rude parler du seigneur de la guerre, le plus âgé des rats leva les yeux et fit son rapport.

— Ô très puissant, les tambours annoncent l'arrivée prochaine de Sigrif le Vicieux, accompagné d'une quarantaine de gueux.

Argon les renvoya avec un ricanement gras.

— Rrra ! Le déserteur ! Moi croire lui mort depuis longtomps !

L'un de ses proches lieutenants, une belette du nom de Moisissur, se pencha à son oreille.

— Sigrif a toujours eu une réputation de dur à cuire, même petit. Il est très fort. Je me méfierais de lui, Seigneur.

Argon attrapa une grive rôtie sur une table voisine et y mordit à pleines dents.

— Mmm, Sigrif... Lui pouvoir rejoindre les rongs, bon combattons jamais de trop. Sinon, moi écraser lui comme ça !

Il aplatit d'un coup de poing la carcasse de l'oiseau sur son trône.

— Amener lui ici dès arrivée !

Moisissur s'inclina et tourna les talons.

Quelques heures plus tard, Sigrif le Vicieux faisait son entrée dans le camp d'Argon, chargé de présents : une pointe de lance finement ciselée, deux ceinturons sertis de pierres précieuses, une bonbonne de vin fin et une coupe en argent.

Sa petite bande fut désarmée et conduite à l'écart, sous la surveillance des meilleurs soldats d'Argon. Ces derniers étaient vêtus d'une courte jaquette rouge portant l'insigne du seigneur de la guerre, un croc blanc dans un cercle vert. Moisissur escorta Sigrif jusqu'au trône. Le jeune furet s'agenouilla avec respect, non sans noter la présence d'une fouine géante juste derrière Argon.

Les présents furent disposés aux pieds du seigneur de la guerre, qui les retourna de la pointe de son sceptre.

— Toi laisser nous, maintenont, ordonna-t-il à Moisissur.

Avec un ricanement de mépris, il regarda le furet agenouillé devant lui.

— Quand toi tout jeune, toi croire toi plus fort qu'Argon. Toi croire toi pouvoir ramener plus gros butin. Toi fuir armée d'Argon. Écouter personne. Oh non, toi tout savoir.

Il cracha par terre.

— Pas terrible pour quelqu'on parti si longtomps, hein ?

Sigrif savait user de son charme à l'occasion. Affichant un sourire désarmant, il leva les yeux vers le seigneur de la guerre et haussa les épaules.

— J'ai beaucoup voyagé et je connais beaucoup d'endroits. Mais je reviens vers mon maître pour qu'il m'enseigne le vrai courage et la sagesse.

Un rire secoua l'énorme panse d'Argon.

— Ra, ra, ra! Bon, toi savoir quond même qui être le maître!

Sigrif s'aplatit pour baiser le pied d'Argon.

— Comment oublier, Seigneur? Vous m'avez tout appris. J'étais jeune et stupide quand je me suis enfui. Mais je suis moins bête aujourd'hui.

Le seigneur de la guerre lui fit signe de se relever.

— Moi contont voir toi un peu plus plomb dans la tête. Mais attontion : toi pas croire toi plus malin que moi. Si croire ça, mort bientôt!

Sigrif se détourna afin de cacher son regard au gros furet.

— Je m'en souviendrai, Seigneur.

— Toi voir gronde fouine? reprit le vieux chef en montrant de son sceptre le géant derrière lui. Lui Briseur-d'os. Garder moi jour et nuit, tuer déjà beaucoup beaucoup ennemis. Toi regarder!

Sur un signe de tête de son maître, la fouine géante se baissa et, sans le moindre effort, leva le trône à hauteur de sa poitrine, avec Argon toujours assis dessus. Le colosse attendit sans broncher un nouveau signe de son maître, puis il reposa lentement sa charge.

— Alors, toi avoir déjà vu ça? cracha le vieux furet de sa voix sifflante.

Sigrif était réellement impressionné. Mais son intelligence reprit rapidement le dessus. Il laissa tomber sa mâchoire inférieure et ouvrit grand la bouche, secouant la tête comme s'il n'en croyait pas ses yeux.

— Jamais vu une telle force de la nature ! Seigneur, vous avez la force et la sagesse, nul n'oserait s'opposer à vous !

Argon inclina la tête sur le côté, observant pensivement son jeune interlocuteur.

— Alors, pourquoi toi venir ici ?

Sigrif s'assit sur la dernière marche du dais.

— Pour vous servir, Seigneur, et vous parler des riches terres qui s'étendent vers le sud-ouest. Un jour, peut-être, je vous y conduirai, si vous voulez bien de moi comme lieutenant.

Argon se frotta la panse en riant grassement.

— Yak, yak, yak ! Moi aller nulle part, moi rester ici, sur mes terres. Pourquoi moi voyager ? Moi tout avoir ici ! Toi me plaire, Sigrif. Toi jeune et plein grondes idées. Toi tomber du ciel, tout en haillons déguenillés. Et quoi toi ramener ? Une lonce ? Moi avoir plein lonces. Des ceinturons ? Trop petits. Une coupe et du vin ? Quel intérêt ?

— La lance est le symbole de votre puissance, Seigneur, rétorqua Sigrif en prenant ses présents un par un. Les ceinturons témoignent de ma fidélité envers vous. Quant au vin, c'est un breuvage exceptionnel, réservé aux plus nobles palais.

Il déboucha la bonbonne et en huma délicatement le contenu.

— Un grand vin en provenance du Sud, rond et fruité, avec un bouquet de prune et de sureau.

Il tendit la bonbonne à Argon. Le seigneur de la guerre la renifla, puis sourit d'un air rusé.

— Toi croire moi stupide ? Toi boire d'abord !

Sigrif prit la bonbonne, fit mine de boire, puis s'interrompit :

— Vous voyez, Seigneur, vous m'apprenez encore quelque chose : je serais mort si j'avais tenté de vous empoisonner.

Il inclina la bonbonne et but une longue gorgée de vin.

— Mais j'aurais été bien bête d'avoir une telle idée. C'est du bon vin, Seigneur, le meilleur. Et c'est pourquoi je vous l'offre.

Argon observa le jeune furet un moment, guettant un signe de malaise, puis déclara :

— Toi donner bonbonne ! Moi voir si vin vraimont bon !

Sigrif lui tendit de nouveau la bonbonne, puis, comme s'il se rappelait soudain de ses bonnes manières, recula d'un pas et versa le vin dans la coupe en argent, qu'il offrit à Argon.

Le seigneur de la guerre lui sourit par-dessus la coupe.

— Moi toujours surveiller toi. Toi te sontir bien ?

— Le mieux du monde, Seigneur, répondit Sigrif en riant. Mais si vous avez encore des doutes, faites d'abord goûter votre géant.

Le vieux furet tapa sur l'énorme patte de la fouine.

— Ah oui, mon fidèle Briseur-d'os ! Toi goûter !

Le colosse saisit la coupe, qui parut réduite aux dimensions d'un coquetier entre ses immenses griffes, et la vida bruyamment. Puis il la rendit à son maître en souriant, avec pour tout commentaire :

— Bon !

— Quoi ? répliqua Argon d'un air faussement indigné en levant les yeux vers le géant. Moi seul dire quoi bon. Sigrif, toi donner vin à moi !

Sigrif remplit par trois fois la coupe avant que l'avide seigneur ne se déclare satisfait. Argon s'adossa au trône, rassuré. Il n'avait rien à craindre du nouvel arrivant.

— Alors, toi revenu parmi nous, Sigrif. Bien... très bien ! Va maintenant, toi trouver tente. Toi et moi parler demain matin.

Sigrif comprit qu'il était temps de se retirer. Il s'inclina, puis sortit de la tente à reculons en murmurant :

— Dormez bien, seigneur Argon !

L'aube se leva, enveloppée d'un fin brouillard blanc. La journée promettait d'être douce et ensoleillée. Les tambours résonnèrent de nouveau au-dessus du maquis mais, cette fois, les rats ne donnèrent pas l'alerte : l'étranger était seul. C'était Mortifère, la renarde ; Sigrif lui avait ordonné de le suivre avec un jour de décalage.

Les messagers d'Argon se tenaient à distance de la renarde, la prenant pour une sorte de mystique sauvage. Mortifère ne fit rien pour les détromper, au contraire : elle s'était déguisée spécialement dans ce but. Un vieux manteau orné de plumes flottait sur son corps barbouillé de boue et de peinture, tandis qu'elle s'appuyait sur un long bâton décoré d'osselets, de touffes de poils et de coquillages. Elle l'agita avec un bruit de crécelle en direction des rats et entonna dans un chevrotement aigu :

Gargouillis, râle et dernier soupir,
La forêt des ténèbres est mon empire,
Des enfers je suis la messagère,
Ô prince de la Nuit, entends-moi, Lucifer !

Les premiers levés soufflaient sur les braises pour les ranimer lorsque la renarde pénétra dans le camp, escortée par les messagers d'Argon. Avisant la tente principale avec son auvent proéminent, elle se dirigea droit vers elle. Les deux belettes qui en gardaient l'entrée fermée s'écartèrent nerveusement, tandis que l'étrange renarde secouait son bâton en grimaçant. Mortifère poussa un long hululement sinistre.

— Hououououou ! Je suis la devineresse ! Aïe, aïe, aïe ! La Mort est passée par là !

Les rats et les sentinelles étaient visiblement impressionnés par la renarde en haillons, qui dansait maintenant en tapant des pieds devant la tente. Ils se rapprochèrent les uns des autres en marmonnant :

— Comment ça s'fait qu'messire Argon l'a point entendue ?

— Ouais, c'est drôl'ment bizarre qu'il ait pas envoyé Briseur-d'os lui tordre l'cou et lui faire rentrer ses piaul'ments dans la gorge !

— Moi j'dis qu'y faut réveiller les lieut'nants. Qu'y s'débrouillent !

— Bonne idée, vieux. Allons-y !

Au fur et à mesure que la nouvelle se répandait, les membres de la horde quittaient abris et feux de camp et rejoignaient le groupe des officiers en route pour la tente du chef. Deux des lieutenants, Moisissur et Gal, ainsi qu'un rat nommé Grigou, haut conseiller d'Argon, écoutèrent le rapport des sentinelles, puis observèrent la renarde en transe devant la tente toujours fermée.

Ô plus puissante que le seigneur de la guerre,
À ton appel il a dû répondre,
Je ne suis que ta messagère,
Toi, la Mort, sur tous, tu viens t'étendre.

Moisissur n'était pas du genre impressionnable. Il tira son épée puis, écartant la renarde, jeta ses ordres :

— Saisissez-la ! J'm'en vais tirer ça au clair !

D'un geste, il releva les pans de la tente et pénétra d'un pas sûr à l'intérieur, suivi des autres officiers.

Argon était vautré sur son trône. Quant à Briseur-d'os, il était assis aux pieds de son maître. Tous deux paraissaient dormir ; Grigou, le rat, vit tout de suite qu'il n'en était rien. Il colla son nez sous celui d'Argon et tâta de la patte la fouine inerte à ses pieds.

Ce bref examen lui suffit.

— Ils sont morts tous les deux ! Et sans aucune trace sur le corps. Qui a bien pu faire ça ?

— Messire Argon et Briseur-d'os étaient bien en vie quand je les ai laissés avec Sigrif hier soir !

déclara Moisissur d'une voix forte afin que tous l'entendent. On n'a qu'à demander au furet !

Quatre gardes en armes traînèrent Sigrif dans la tente. Le furet se débattit en hurlant :

— Garez vos sales pattes ou j'vous écorche vifs !

Moisissur décida de mener lui-même l'interrogatoire.

— Réponds, Sigrif. Que s'est-il passé ici hier soir, quand tu es resté seul avec messire Argon et Briseur-d'os ?

— J'ai offert des présents à messire Argon, jeta Sigrif avec mépris au lieutenant trop zélé. Et il a dit qu'il me prenait comme officier, c'est tout.

Le rat Grigou ramassa la lance et les ceinturons, puis la bonbonne. Il la secoua. On entendit le glouglou du vin à l'intérieur.

— Ce vin fait partie des cadeaux que tu lui as offerts ? Messire Argon en a-t-il bu ?

Sigrif ricana d'un air entendu.

— Oh, pour ça oui !

— Et toi ?

— Bien sûr que non, ça ne se fait pas d'offrir du vin et de le boire.

— Et Briseur-d'os ?

— Non plus, mentit Sigrif. Messire Argon a dit que le vin était trop fin pour un balourd comme lui. Seul le seigneur de la guerre en a bu.

Grigou hocha la tête en souriant d'un air résolu et lança la bonbonne au jeune furet.

— Pour moi, ce vin est empoisonné. Vas-y, prouve-moi le contraire : bois !

Sigrif saisit la bonbonne et la vida d'un trait.

— Quoi d'autre pour vot'service, m'sieur l'rat ? ricana-t-il.

Moisissur sentit la moutarde lui monter au nez. Il arracha la bonbonne des pattes de Sigrif et la jeta au loin en grondant :

— Tu es trop malin pour être honnête, furet. Qu'est-ce qui t'a am'né ici ?

Sigrif répondit d'une voix forte, de façon à être entendu de la horde massée à l'extérieur de la tente :

— Je n'avais nul besoin de venir ici, je me débrouillais très bien avec ma propre bande. Mais, une nuit, j'ai fait un rêve dans lequel messire Argon m'apparaissait et me suppliait de venir le rejoindre au plus vite.

Moisissur retroussa les lèvres d'un air moqueur.

— Tu parles d'un bobard. Faites entrer la renarde !

Les soldats, peu désireux de s'approcher trop près d'elle, poussèrent Mortifère en avant de la pointe de leur lance.

— Tu as déjà vu cette renarde ? demanda Moisissur à Sigrif.

— Jamais en chair et en os. Mais je rêve souvent d'elle.

— Ça suffit ! Tout ça est absurde ! trancha Moisissur en arpentant les marches du trône d'un pas furieux.

La renarde secoua son bâton en guise d'avertissement.

— Ne te moque pas de ce que tu ne comprends pas. Personne ne m'a jamais vue ici, et pourtant j'avais prévu la mort d'Argon longtemps avant d'arriver. Je suis la messagère des enfers, c'est le destin qui m'envoie. Je lis à livre ouvert dans les étoiles et dans le vent, et dans les yeux de beaucoup d'entre vous !

Moisissur en avait assez entendu. Tirant son épée, il marcha sur la renarde.

— Et dans mes yeux, vois-tu que ton heure est venue ?

Grigou s'interposa, détournant d'un coup de poing l'épée du lieutenant.

— Range ton arme, belette. La renarde est une voyante. Ça porte malheur de tuer ceux qui possèdent ce don.

— Une voyante, pff ! ricana Moisissur en rengainant son arme de mauvaise grâce. Soit ! Dis-nous ce que tu vois, alors !

Mortifère fit tinter sinistrement les osselets et les coquillages de son bâton, puis ferma les yeux et se mit à déclamer :

Avec Sigrif pour seigneur,
La horde enfin connaîtra
La fortune et la gloire.
Au butin chacun goûtera,
Jamais son choix ne regrettera !

Furieux, Moisissur se retourna contre Sigrif. Mais celui-ci se tenait prêt. Avant que la belette n'ait eu le temps de dégainer, il arracha la lance ciselée des pattes de Gal et embrocha son adversaire. Pendant ce temps, Mortifère continuait de réciter de sa voix geignarde :

Quiconque s'attaquera à Sigrif mourra !
Dans la forêt des ténèbres s'engouffrera !

Elle passait prestement d'un lieutenant à l'autre, les foudroyant chacun du regard. Tous croyaient dur comme fer à ses paroles et tentaient de fuir son regard de folle.

Sigrif le Vicieux s'avança alors avec importance. Prenant la figure de la renarde entre ses pattes, il planta tranquillement son regard dans le sien.

— Tu seras mes yeux, déclara-t-il. Tu verras tout pour moi. Nul ne pourra me cacher ses pensées les plus secrètes !

Et c'est ainsi que Sigrif le Vicieux devint le seigneur de la guerre, avec deux ceinturons, une pointe de lance, une bonbonne de vin et, surtout, une coupe en argent dont le bord et l'intérieur avaient été enduits d'un poison violent !

Sa ruse et l'aide de la renarde avaient suffi pour l'emporter.

La horde se réunit au complet car le nouveau seigneur de la guerre allait annoncer ses projets. Pour l'occasion, le furet avait repeint les bandes vertes et violettes de sa figure et teinté ses crocs de rouge frais. Tirant son épée de son large baudrier en peau de serpent, il pivota sur lui-même, faisant tournoyer sur son corps musclé le magnifique manteau de velours bleu vif qu'il avait trouvé dans les affaires d'Argon. Il pointa son épée sur la tente principale, où reposaient toujours les deux corps, et s'écria :

— Brûlez-la !

Une vingtaine d'archers postés sur l'escarpement tirèrent une volée de flèches enflammées sur la tente recouverte de broussailles, qui s'embrasa aussitôt. La lueur de l'incendie dansait dans les yeux de Sigrif ; il leva sa patte gantée pour la montrer à tous.

— Voici ce que vous allez suivre désormais : six griffes ! Finies les siestes à l'ombre des arbustes, finies les ripailles paresseuses sous les ordres d'un gros mou incapable de faire un pas ! Pliez vos tentes, préparez vos paquetages : nous partons. Direction le sud-ouest et ses richesses. Festins, butin, esclaves ! Vous aurez tout ça si vous me suivez, moi, Sigrif le seigneur de la guerre !

La terre trembla sous les centaines de pattes et de lances qui frappaient le sol en cadence. Une puissante clameur s'éleva, se répercutant comme un roulement de tonnerre le long de l'escarpement.

— Siiigriiif !

On démonta les tentes et on les roula, tandis que les tambours battaient sinistrement et que les nouvelles bannières ornées des six griffes se déroulaient dans la brise d'automne.

Le furet retroussa ses babines sur ses crocs rougis.

— Et maintenant, dit-il à la renarde, qui se tenait à ses côtés, voyons si Solaris le Formidable vient à bout de cette armée ! Ha, ha, ha, ha !

Chapitre IV

L'hiver passa, puis le printemps, radieux, qui laissa place à la saison des moissons. Solaris le Formidable se redressa, étirant son dos puissant au-dessus des labours. Lili et Lulu, les deux jeunes taupes, l'imitèrent malicieusement.

— Eh bien ! Je crois qu'on a assez de patates pour aujourd'hui, beau travail !

— Parrdi ! Et il y en a encorrre drrôl'ment beaucoup pourr la prrochaine fois !

Le grand blaireau contempla les sillons qu'il avait creusés à l'automne après avoir défriché une clairière et déplacé les rochers qui gênaient. Un potager de belle taille existait maintenant au pied des collines. Des arbres fruitiers le bordaient déjà, et deux marronniers se dressaient un peu plus loin. Les plants de poireaux, d'oignons, de pommes de terre, de navets, de pois et de choux donnaient abondamment. Un peu plus tard dans la saison viendraient les baies : fraises d'abord, puis groseilles, mûres et framboises. Solaris avait travaillé dur avec ses amis, qui lui avaient enseigné les secrets de l'agriculture. Il aimait cultiver la terre et s'était découvert un instinct sûr de paysan.

Attrapant d'un geste les deux minuscules taupes, il les déposa sur le panier contenant leur récolte, puis il se dirigea vers la grotte des Piquant-Miraud, entonnant avec les petites la berceuse des hérissons de sa voix de baryton.

Dors malan satan, là-bas au sud, à l'ouest,
Dans'rons à la mant', c'est là que j'aime être,
Armons sal adant, où mouette prend son vol,
Dans alarm atons, chante, danse et batifole.

Cresserel se prélassait au soleil sur les rochers devant la grotte ; il observait Mimi Piquant, Nénette et la tante Narine, qui préparaient le repas dans l'herbe. Le vieil oncle Blair sortit de la grotte en toussant, au milieu d'un nuage de poussière, suivi des quatre bébés hérissons, de Timi Piquant et de Tarin Miraud. Ils se laissèrent tomber dans l'herbe en époussetant leurs habits.

Solaris arriva de son pas lourd et déposa le panier avec précaution.

— Tiens Mimi, il y a de beaux petits champignons là-dedans. Alors, Tarin, comment va le futur garde-manger ? Les travaux avancent ?

— Il est pourr ainsi dirrre fini, Messirrre, répondit la taupe en s'essuyant les yeux. Je l'avions tapissé avec ces grrosses dalles qu'vous avez trrouvées cet hiverr. Ça fait drrôl'ment bien !

Nénette se protégea les pattes avec son tablier et sortit doucement une énorme tarte du four creusé dans le rocher par Solaris.

— On en a des nouvelles choses depuis qu'vous êtes avec nous, Messirrre. Rregarrdez : une belle tarrte aux pommes et aux mûrrres !

Solaris huma la bonne odeur, sa figure zébrée d'or illuminée de plaisir. Mimi chassa les petits hérissons qui se précipitaient pour renifler à leur tour.

— Poussez-vous donc de là, chenapans ! Z'allez vous brûler l'museau. Attendez un peu qu'elle refroidisse, et z'aurez une grosse part chacun.

L'oncle Blair emmena les bébés hérissons et les deux petites taupes à la rivière, à quelques pas de là. Il y avait plongé les bonbonnes de jus de pissenlit, préparé par ses soins, pour les garder au frais.

— Lavez-vous donc les pattes et l'museau dans l'eau, cria tante Narine.

Mimi prépara une salade avec les légumes frais, tandis que Cresserel suivait Nénette en se dandinant pour goûter avec elle un fromage qu'elle affinait depuis le début de l'hiver précédent. La bonne taupe sourit affectueusement au faucon, devenu son meilleur ami.

— Vingt dieux, Messirrre, j'avions jamais vu d'rrapace qu'aimait autant l'frromage ! V'nez m'aider, on va voirr c'que ça donne.

Cresserel l'aida volontiers à rouler le fromage depuis le fond de la grotte, où il attendait de venir à maturité. Le faucon avait participé au moulage, lorsque le fromage était encore à l'état de lait caillé, pressant sans relâche la coque d'herbes grasses et de tubercules dont seuls les habitants de la forêt connaissent le secret. Avec Nénette, à l'automne dernier, ils avaient ramassé des noisettes, des amandes et des châtaignes, qu'ils avaient piquées ensuite dans la pâte.

La taupe et son ami soulevèrent la fine pellicule d'écorce de saule qui protégeait le fromage. La pâte était d'un beau jaune pâle, sans croûte. Un parfum d'amande monta à leurs narines.

Cresserel sautilla d'une patte sur l'autre.

— Craaa ! Il est prêt ? On peut goûter ?

— Parrdi ! répondit la taupe secouée d'un bon rire. C'est l'moment, Messirrre, pourr sûrr !

Elle sortit un long brin de fil graissé de la poche de son tablier et en enroula les extrémités autour de ses larges pattes. Elle fit alors passer le fil autour du fromage, puis, s'arc-boutant, se pencha en arrière et tira. Fasciné, Cresserel regarda le fil traverser le fromage comme si c'était du beurre, découpant un large morceau qui ressemblait à une drôle de pleine lune. La chair blanche des noisettes entourée du halo brun de leur peau ressortait sur la pâte couleur bouton d'or. Nénette préleva deux petits morceaux et en tendit un à son ami. Ils mordirent délicatement dedans.

— Mmm, l'est moelleux à souhait et l'a bon goût, hein ?

— Aaahh ! Quel délicieux parfum de noisette ! Quelle fermeté de la chair !

Patte dessous, aile dessus, les deux amis fromagers se congratulèrent.

Devant la grotte, après l'excellent repas, les adultes regardaient les plus jeunes jouer dans l'herbe.

Solaris s'étira avec volupté, puis s'adossa aux rochers brûlants de soleil. Il regarda les petits hérissons qui essayaient de soulever sa massue. Timi se glissa près du grand blaireau.

— Y z'en ont encore pour un moment avant d'pouvoir la soul'ver, dit-il en souriant de leurs efforts.

Solaris secoua son énorme tête.

— J'espère qu'ils n'auront jamais à s'en servir, Timi. La guerre et l'apprentissage du métier de soldat peuvent voler à un jeune ses plus belles années. On grandit trop vite, on se durcit trop tôt. La paix est un bien précieux.

— C'est toi qui nous l'as apportée, Solaris, répliqua le hérisson en tapotant la patte de son ami. Tu as l'air calme et heureux. P't-être que not'vie te convient…

Les yeux sombres du blaireau se perdirent dans le lointain.

— Oh oui, j'aime notre vie ici. Je suis même plus heureux que je ne l'ai jamais été. Je donnerais beaucoup pour passer le reste de mes jours auprès de vous.

Timi Piquant écarta les pattes, montrant la scène tranquille autour d'eux.

— Qu'est-ce qui t'en empêche ? Tout le monde t'aime ici. Reste, tu es chez toi.

L'offre était tentante. Solaris songea aux récoltes à venir, à son potager, à la grotte qu'il avait agrandie et aménagée plus confortablement. Le cœur débordant d'affection, il regarda les petits qui roulaient dans l'herbe en riant sous le chaud soleil de midi. Oncle Blair et tante Narine aussi, et les autres, tous des amis sûrs, dignes de confiance, solidaires. Son fidèle compagnon lui-même, Cresserel le faucon, goûtait avec délices aux joies de cette vie simple. C'était le paradis. Mais ça ne pouvait pas durer.

— Écoute-moi bien, dit-il à Timi en pesant soigneusement ses mots. Ma présence ne peut vous apporter que de grands soucis, la mort peut-être. Je t'ai parlé de Sigrif le Vicieux, le furet malveillant. Crois-moi, si je m'installe ici, il va débarquer un jour ou l'autre avec sa bande. Et s'il ne le fait pas, mon sang de guerrier me poussera de toute façon à partir à sa recherche. Et puis, il y a mes rêves. Cette montagne de feu qui hante mes nuits, les voix étranges des autres blaireaux, des seigneurs en armes, qui m'appellent. Je ne sais pourquoi je dois aller là-bas, ni où cette montagne se trouve ni comment elle s'appelle, mais je sais que mon destin est irrémédiablement lié à elle. J'en rêve toutes les nuits et, à chaque fois, je suis traversé par le besoin urgent de la retrouver. Un matin, quand tu te réveilleras, je ne serai plus là.

Masquant sa peine et sa déception, le hérisson murmura :

— J'le savais avant que tu m'le dises, ça s'voit sur ta figure. T'as travaillé dur avec nous, mais c'était juste pour penser à autre chose. Enfin, assez parlé d'tout ça. C'est trop triste, on va finir par faire pleuvoir ! T'es jeune, t'as la vie d'vant toi, Solaris. Promets-moi juste une chose : tu n'partiras pas sans dire au revoir.

— C'est promis, Timi Piquant. On se dira au revoir !

Ils profitèrent tout l'après-midi d'un repos bien mérité, se joignant plusieurs fois aux jeux des petits. Cresserel s'envola pour l'une de ses longues patrouilles en altitude, après avoir promis d'être de retour pour le souper. Solaris descendit à la rivière et s'assit les pieds dans l'eau tiède du bord, cherchant le sens de la berceuse des petits hérissons.

Dors malan satan, là-bas au sud, à l'ouest,
Dans'rons à la mant', c'est là que j'aim...

La voix de Tarin Miraud l'interrompit.

— Ohé, Messirrre ! Z'aurrriez point vu les petiots Tim et Théo ?

Le blaireau se tapota les pieds sur la berge.

— Pas depuis le déjeuner, pourquoi ?

— Y z'ont comme qui dirrrait disparrru, Messirrre ! répondit Tarin en se grattant la tête.

À la grotte, Mimi interrogeait les autres petits, sans plus de succès. Tim et Théo étaient ses deux fils. Leurs sœurs, Cath et Béné, avaient joué tout le temps avec les deux petites taupes, Lili et Lulu. Aucune des quatre n'arrivait à s'expliquer clairement ; elles étaient encore trop jeunes. Malgré son inquiétude, Mimi ne perdait pas patience.

— Réfléchissez bien, mes chéries. Où est-ce que ces galopins sont allés ?

Cath leva une patte vers le ciel.

— Y sont partis par là !

— Mais non, ma puce, c'est m'sieur Cresserel qui s'est envolé tout à l'heure. Ah, si seulement il était là ! Et toi, Lili, tu sais où sont Tim et Théo ?

— Ben... y jouent dans l'eau, j'crrois.

— Non, c'était messire Solaris, à la rivière. Mais où est-ce que ces garnements ont bien pu passer ?

La hérissonne leva un regard suppliant sur Solaris. Le grand blaireau lui tapota doucement la tête, irradiant le calme et la confiance.

— Ne vous inquiétez pas, madame Piquant. Je vais les retrouver. Timi, va vers l'est, et toi, Tarin, vers l'ouest. Je vais prendre vers le sud. Rendez-vous à la grande clairière, celle avec l'étang au milieu, vous savez ?

Nénette se couvrit la tête de son tablier pour cacher son trouble.

— Ah, les coquins ! Et m'sieur Crresserrel qu'est point là !

— N'aie point peurr, ma belle, j'allions les rram'ner parr la peau des fesses! la rassura son mari en fronçant le nez. Rreste ici avec Mimi, et surrveillez ben les autrres!

Solaris partit vers le sud. Le soleil déclinant jouait parmi les feuilles, projetant des taches de lumière sur son large dos tandis qu'il serpentait de part et d'autre du chemin, fouillant les sous-bois à la recherche d'un indice. Le chant d'un oiseau monta dans l'air saturé de chaleur. Des papillons voletaient paisiblement d'un buisson à l'autre et des abeilles bourdonnaient paresseusement dans les mûriers sauvages, les chèvrefeuilles et les églantiers. Mais le grand blaireau était trop inquiet pour profiter du spectacle de la nature. Son énorme massue pendant au bout de son bras, il avançait pas à pas, espérant trouver trace des bébés hérissons.

Enfin, il découvrit quelque chose. Juste un tout petit morceau de tarte aux pommes, nappé de coulis de mûres. Les coquins avaient bien vagabondé vers le sud. Solaris pressa le pas. Ils ne devaient pas être loin.

Soudain, un concert de cris éclata à ses oreilles. Le grand blaireau fonça à travers bois, écrasant tout sur son passage, et déboula dans la clairière où ils s'étaient donné rendez-vous. Il mesura le danger en un clin d'œil. Les deux bébés hérissons, muets de terreur, étaient serrés l'un contre l'autre dans l'étang, de l'eau jusqu'aux épaules. Sur la berge, Timi et Tarin allaient et venaient en hurlant, en compagnie d'un vieil écureuil. Près du bord, entre eux et les petits, se dressaient deux vipères de belle taille qui se tortillaient d'un air menaçant et leur barraient la route. Les serpents n'avaient pas vu Solaris, lequel ralentit aussitôt sa course et fit signe à ses amis de ne pas trahir sa présence.

Timi Piquant était terrifié, mais prêt à donner sa vie pour ses petits. Il ramassait tout ce qui lui tombait sous la patte, brindilles, mottes de terre, touffes d'herbe, et les lançait sur les grands reptiles en s'égosillant d'une voix suraiguë :

— Laissez mes p'tits tranquilles, sales serpents ! Vous approchez pas d'eux ! Tim et Théo ! Bougez pas ! Restez dans l'eau !

Le vieil écureuil se joignit à lui. Apparemment, il connaissait les vipères et les détestait.

— Espèce de monstres visqueux à sang froid ! Touchez pas aux bébés !

L'une des vipères commença à ramper lentement vers les petits, tandis que l'autre faisait toujours face aux trois compères affolés. Les yeux froids du reptile luisaient de méchanceté. Sa langue fourchue frémit :

— Allez-vousssss-en en vitessse, siffla-t-il, tant que voussss avez encore du sssssang dans les veines !

Soudain, Solaris passa à l'action. Lâchant sa massue, il fonça droit sur les petits, pénétrant dans l'étang par le côté. La vipère qui glissait vers l'eau accéléra. Elle était rapide, mais pas assez pour battre Solaris quand son instinct de guerrier se réveillait. Le blaireau atteignit les petits le premier, les arracha à l'eau d'un geste et poursuivit sa traversée éclair. La vipère nageait à ses trousses, filant comme une flèche dans les remous de son sillage. La seconde vipère abandonna les trois amis sur la rive et se précipita de toutes ses forces pour couper la route au blaireau.

Solaris bondit hors de l'eau et lança les petits, roulés en boule sous leurs piquants encore tendres, sur l'herbe de la berge. On aurait dit deux petites balles qui traversaient le terrain, ne s'arrêtant que beaucoup plus loin, à l'abri du danger. Solaris se retourna au moment où la première vipère s'élançait à son tour et lui plantait ses crochets dans le flanc, tandis que l'autre s'enroulait autour de son pied. Le blaireau rugit, attrapa le serpent qui le mordait derrière la tête et replongea dans l'eau, la seconde vipère toujours enroulée à son pied. Timi courut vers les petits et les serra dans ses bras, pendant que Tarin et l'écureuil se précipitaient vers l'étang. Incapables d'aider Solaris, ils se mirent à frapper l'eau en hurlant.

Solaris ne s'arrêta qu'au moment où l'eau atteignit son menton. Sentant la vipère lâcher prise à son pied, il se mit à piétiner furieusement, jusqu'à ce qu'il lui coince la tête sur le fond. L'autre, qui l'avait encore mordu, mais dans le dos cette fois, tentait maintenant de s'échapper. Solaris l'attrapa par la queue et la fit tournoyer au-dessus de sa tête, de plus en plus vite. Depuis la berge, ses amis entendaient l'air vibrer autour du long corps couvert d'écailles. Solaris rugit.

— Ioulaliiiie !

Avec un dernier coup de rein, il lâcha la vipère, qui fendit l'air comme une flèche. Timi leva la tête. Il vit le serpent heurter de plein fouet une grosse branche, son corps s'enrouler plusieurs fois autour d'elle, puis s'immobiliser, pendouillant au-dessus du sol comme une vulgaire corde mouillée.

Solaris continua de peser de tout son poids sur son pied, jusqu'à ce que le corps sous l'eau cesse de se tortiller, inerte à jamais. Alors, lentement, péniblement, il commença à remonter vers la rive, une douleur lancinante lui transperçant le dos et le côté. Enfin, il tituba dans l'eau peu profonde du bord, où Timi, Tarin et le vieil écureuil se précipitèrent pour l'aider.

Le grand blaireau s'effondra sur la berge tandis que Tarin se tordait nerveusement les pattes :

— Y l'ont morrdu, les serrpents, y l'ont morrdu, j'le savions !

Le vieil écureuil attrapa à deux pattes la figure de Solaris, dont les paupières commençaient à se fermer, et hurla :

— Où ? Où est-ce qu'ils vous ont mordu ?

Solaris avait l'impression qu'il s'enfonçait dans un trou noir. Il entendit les paroles de l'écureuil de loin, très loin. Rassemblant ses dernières forces, il murmura :

— Mordu… deux… côté… dos…

Et Solaris le Formidable sombra tout à fait dans les ténèbres.

Chapitre V

Le soleil tapait sans pitié, réduisant les rivières à un filet d'eau, cuisant la terre comme dans un four. Des tourbillons de poussière se mêlaient au vent brûlant. Dans ce désert hostile et torride, c'est à peine si quelques buissons d'épineux et de genêts parvenaient à survivre.

Sigrif avait des ennuis : la révolte grondait dans la grande horde. Installé sous sa tente, le furet réfléchissait au problème; trop de soldats, pas assez d'eau et de nourriture — sans compter, en plus, qu'ils étaient perdus! Déjà, la campagne avait mal commencé. Certains, séduits par les promesses de butin, s'étaient déclarés prêts à marcher avec Sigrif. Mais d'autres s'y étaient refusés, sachant qu'ils pourraient toujours se débrouiller à l'ombre plus clémente du grand escarpement, où il y avait au moins un peu d'eau et de végétation, des œufs et des oiseaux. La plupart des membres de la horde avaient une famille, et déplacer tout ce monde, avec les tentes et le matériel, avait été compliqué dès le début.

Parfois, Sigrif avait l'impression d'être seulement à la tête d'une longue caravane de nomades. Et comme si ça ne suffisait pas, il s'était retrouvé flanqué d'une épouse. Il ne savait pas qu'Argon avait une fille. Or la tradition voulait qu'elle devienne automatiquement la femme du nouveau seigneur de la guerre. Elle s'appelait Saline, était calme et assez jolie. Sigrif n'en revenait pas qu'un être aussi gros et laid qu'Argon ait pu l'engendrer. Habituée aux sautes d'humeur et aux terribles colères des seigneurs de la guerre, la jeune épouse se tenait à l'écart de son mari, comme de son père avant lui.

Sigrif chassa sa femme de son esprit et se concentra sur les problèmes de la horde. Comment s'étaient-ils perdus sur cette terre plate et nue ? Nul n'aurait pu le dire. Mais le furet en rendit Mortifère responsable. C'était à la renarde de faire le point. Il lui avait passé un sacré savon et l'avait envoyée chercher de l'eau et des vivres trois nuits plus tôt. Elle devait aussi retrouver la piste du sud-ouest. Pour ne pas prendre de risques, il lui avait adjoint ses deux tueurs, les fouines Balafre et Maboul. Ces deux-là lui avaient tout de suite tapé dans l'œil quand il avait pris le commandement de la horde. C'étaient de véritables assassins, froids et ambitieux, sans scrupules. Exactement ce qu'il lui fallait pour exécuter ses plans secrets.

Au-dehors, il entendait les bruits familiers de la horde, occupée à s'installer. Dans ce pays brûlant, balayé par les vents, il était impossible de marcher en plein midi. Ils repartiraient plus tard, lorsque le soir apporterait un semblant de fraîcheur. Saline se glissa sans bruit sous la tente. Elle déposa une bonbonne près de Sigrif et ressortit prestement. C'est à peine si le seigneur de la guerre remarqua sa présence. Il fit sauter le bouchon d'un air absent et porta le goulot à ses lèvres. Il recracha aussitôt l'eau saumâtre avec une grimace, juste sur le pied de Tricou, la belette, qui entrait à ce moment-là. Sigrif lui fit signe d'approcher en vitesse.

— Referme la tente, vite ! J'veux pas qu'on te voie avec moi. Alors, y continuent ?

— Tout juste, Seigneur, comme vous l'aviez dit. C'est le lieut'nant Dago, le furet, et son valet Graillon, le rat. J'les ai suivis discrètement : y rentrent dans les tentes et y font que dire du mal de vous dans vot'dos.

Sigrif posa la bonbonne par terre et s'assit à côté.

— Qu'est-ce qu'ils disent exactement ? Vas-y, n'aie pas peur.

La belette avala péniblement sa salive et s'accroupit près de son maître.

— Y disent qu'on s'est perdus et qu'vous savez pas où on va… Et aussi, qu'vous êtes pas capable d'être not'seigneur… et… qu'vous vous empiffrez tout l'temps… pendant qu'les gars, y meurent de faim… et…

Sigrif le Vicieux hocha la tête avec bienveillance.

— Continue. Quoi d'autre ?

— Y disent qu'y suffirait d'vous planter un couteau entre les côtes pour arranger les choses, reprit Tricou avec un peu plus d'assurance. Qu'y pourraient r'tourner vivre au pied d'la montagne, où c'était beaucoup mieux. Enfin, y aura une réunion secrète ce soir, qu'il a dit, Dago. Tous les lieut'nants y s'ront.

— Bien joué, approuva Sigrif en lui tapotant la patte.

Voyant la belette lorgner sur la bonbonne, il ajouta :

— Prends-la, si t'as soif. C'est pas du vin, juste de l'eau boueuse, mais ça te rafraîchira un peu le gosier. Envoie-moi Mortifère dès qu'elle reviendra. Allez, va voir si elle arrive.

La renarde fut de retour au crépuscule. Laissant les deux terribles fouines dehors, Mortifère entra sous la tente pour présenter son rapport à Sigrif.

Le furet la regarda déposer un sac rebondi à ses pieds.

— J'espère pour toi que les nouvelles sont bonnes, renarde ! grinça-t-il.

Un flot de paroles lui répondit.

— Excellentes, seigneur Sigrif, j'ai retrouvé la piste du sud-ouest. Encore deux jours de marche et on sera sortis du désert. Il y a une belle rivière là-bas, de l'eau douce autant qu'on veut, des taillis, des arbres et des collines à l'herbe grasse. Et surtout, plein de bonnes choses à manger : du poisson, des fruits, des oiseaux. Regardez !

Elle retourna le sac, qui contenait des racines, des tubercules, deux pommes reinettes et un oiseau mort, qu'elle tendit au furet.

— Vos deux fouines, Balafre et Maboul, ont tiré celui-là à la fronde. Il y en a plein d'autres là-bas.

Sigrif croqua dans une pomme tout en retournant l'oiseau de la pointe de son épée. Il secoua la tête avec dégoût.

— Une corneille ! Et vieille, avec ça. Tu veux m'empoisonner ?

Avant que la renarde n'ait pu répondre, il remit le cadavre dans le sac avec un mauvais rire.

— Aucune importance. Elle me sera utile tout à l'heure. Enfin, déjà, on n'est plus perdus. Va dormir, maintenant. On repart demain matin, et au pas de course. Oh, fais entrer les fouines.

Dago était plus âgé que Sigrif, mais moins grand. Quant à son copain Graillon, c'était un énorme rat gras et renfrogné. À l'extrémité du camp, éclairés par la lueur dansante d'un feu, ils se tenaient face à une assemblée de lieutenants et de simples membres de la horde, tous également mécontents de leur nouveau chef. Dago s'adressa à eux, soutenu par les commentaires plaintifs du rat.

— Alors, les gars ! Qu'est-ce que ça fait d'être perdus et de mourir de faim ?

— Ouais, appuya aussitôt Graillon, depuis c'matin, j'ai mangé qu'deux ou trois racines et bu une gorgée d'eau sale. C'est pas assez, les copains !

— Y a rien qu'du sable et du vent, par ici ! lança une voix dans la foule. Mais, au moins, si on crève de faim, Sigrif aussi mourra !

Dago leva les pattes au ciel en secouant vigoureusement la tête.

— Sigrif, mourir de faim ? Pff, c'est la meilleure ! Dis-leur, Graillon !

— J'ai vu la renarde se glisser dans l'camp tout à l'heure. Elle est allée droit à la tente de Sigrif avec un sac de victuailles !

Dago fit taire d'un geste le brouhaha indigné.

— Vous avez entendu, mes amis ? Un sac de nourriture ! Je parie qu'à l'heure qu'il est, le salopard est en train d'boire du vin et d'se bourrer d'canard rôti sous sa tente !

Dans la confusion qui s'ensuivit, un sac vola dans les airs, atteignant Dago en pleine face. Furieux, il ramassa le sac et l'agita en l'air en hurlant :

— Qui a fait ça ?

Sigrif s'avança en pleine lumière, sa figure peinte et ses crocs rougis soulignés par la lueur du feu. Le silence retomba aussitôt. Apparemment très sûr de lui, le furet cligna de l'œil en direction des deux conspirateurs, puis se frotta les pattes au-dessus des flammes.

— Y fait plutôt frisquet, l'soir, par ici. T'as pas froid, Dago ? Faim, p't-être ?

Le lieutenant resta sans voix. Graillon, sentant les choses prendre un mauvais tour, commença à reculer discrètement.

— Reste là, toi, ou j't'étripe !

Le rat se figea : apparus comme par enchantement, Balabre et Maboul, les deux tueurs, l'encadraient.

Sigrif s'adressa d'une voix raisonnable à la foule prête à se mutiner.

— Alors, y paraît qu'on est perdus ? Dites-moi : vous croyez qu'un vrai chef de guerre laisserait son armée s'perdre sur les chemins ? À deux jours de marche, y a une rivière et des arbres chargés de fruits. J'suis pas perdu, puisque je l'sais ! Et j'vais vous dire un truc : plus ça ira, mieux ça sera. Plus vert, plus riche, plus facile ! C'est pas des histoires, vous verrez.

Il ramassa le sac et se retourna vers Dago.

— Toi, en r'vanche, tu nageais en plein délire tout à l'heure quand tu disais que j'étais en train d'boire du vin et d'manger du canard rôti. Si j'en avais eu, j'aurais partagé avec tout l'monde.

Un sanglot s'échappa des lèvres du lieutenant,

qui se mit à trembler. Sigrif lui tapota le dos d'un air rassurant.

— Allons, allons, remets-toi ! Tonton Sigrif aime pas voir ses amis malheureux ou affamés. J'suis prêt à partager c'que j'ai avec toi. Et pour te prouver que j'suis un vrai copain, j'vais même tout t'donner !

Avec un sourire malveillant, il sortit la vieille corneille morte du sac.

— Comme tu vois, c'est pas du canard rôti. Mais c'est pour toi quand même.

Puis, pinçant cruellement le rat Graillon à l'oreille, il le traîna jusqu'à la carcasse de la corneille.

— Ramasse, camarade. Là… c'est bien. T'en veux un morceau ?

— Non merci, Seigneur, j'ai pas faim, pleurnicha le rat, qui devait se tenir sur la pointe des pattes car Sigrif le tirait toujours par l'oreille.

Les membres de la horde étaient plutôt du genre rapide à changer de camp : certains commençaient à pouffer, ayant deviné la suite. Le seigneur de la guerre cligna de l'œil vers son public. Tous seraient derrière lui une fois qu'il aurait raffermi son pouvoir, il le savait. Agitant son poing ganté de fer sous le nez du rat, il lui expliqua d'un ton ferme :

— Dago est ton pote. Alors, je veux qu'tu lui donnes ça à manger tout d'suite, et en entier ! La viande, les os, les plumes, les pattes, le bec, tout ! Montre-lui que Sigrif le Vicieux est un vrai ami. J'lui donne tout du fond d'mon bon cœur.

De gros rires parcoururent la foule ingrate tandis que les deux tueurs saisissaient Dago en prévision de son effroyable repas. Sigrif fit taire les rires d'un geste.

— Je r'tourne sous ma tente, maint'nant. J'mangerai dans deux jours, comme vous. Ou plus tôt, si on marche vite. D'ici là, au lieu d'ronchonner entre vous en cas de problème, v'nez donc me voir. Je s'rai toujours prêt à vous écouter.

Le seigneur de la guerre disparut dans la nuit sous une ovation. Le furet sourit sous cape. La horde était de nouveau derrière lui.

Le lendemain matin, la chaleur était toujours aussi forte, mais le vent s'était calmé. Sigrif attendait que toutes les tentes soient pliées et les dernières rations distribuées pour s'adresser à son armée. La foule s'amassait peu à peu autour de lui, bannières flottant dans la brise légère, tambours battant. Enfin, tous furent réunis. Sigrif savait que, pour rester le chef, il devait avant tout inspirer la crainte. Il n'avait nul besoin de l'amitié ou de l'affection de ses troupes : ce n'était que pure faiblesse à ses yeux. Dans son esprit, on ne pouvait obtenir le respect et la loyauté que par la peur. Et ce matin-là, debout face à la grande horde, il en fit la démonstration.

Graillon était recroquevillé par terre entre les deux tueurs, Balafre et Maboul.

— Je vois pas le lieut'nant Dago. Où est-il ? lança Sigrif le Vicieux d'une voix forte.

Maboul, dont l'un des yeux était un globe blanc aveugle, répondit à la place du rat, qui tremblait de tous ses membres.

— Dago est mort, Monseigneur !

Sigrif réussit à prendre un air à la fois stupéfait et désolé.

— Mort ? Comment ça ?

Balafre envoya un coup de patte méprisant au rat grelottant de peur.

— C'est cet abruti qui l'a tué en l'obligeant à manger une corneille morte : le bec, les plumes, les pattes et tout ! Le pauv'Dago, y s'est étouffé.

— Étouffé ? répéta Sigrif en secouant la tête, incrédule. Ah, mais on n'étouffe pas un lieut'nant comme ça, il va falloir payer !

— Mais, Seigneur, protesta Graillon avec un sanglot étranglé, c'est vous qui m'avez dit d'lui donner l'oiseau à manger. J'ai fait qu'obéir à vos ordres !

Le furet pointa sa patte gantée de fer sur le malheureux.

— Menteur ! Je t'ai jamais dit de tuer Dago, seulement d'lui donner à manger. Celui qui tue un lieut'nant de la horde mérite la mort !

Graillon poussa un cri et se jeta aux pieds du Seigneur de la guerre.

— Non, Seigneur ! J'vous en supplie ! Épargnez-moi !

Sigrif lui tourna le dos en faisant un signe de tête à ses deux tueurs. Les poignards étincelèrent au soleil. Sans un regard pour le rat assassiné,

Sigrif se retourna vers la horde. Un silence glacé planait sur la puissante armée. Sigrif répéta la leçon d'une voix dure :

— Graillon a payé, Dago aussi ! Je suis Sigrif le Vicieux, le seigneur de la guerre ! Je vois tout, je sais tout, j'entends tout ! Regardez votre voisin : c'est peut-être un de mes espions. J'en ai plein, souvenez-vous-en ! Je suis même capable de lire dans vos pensées rien qu'en vous regardant dans les yeux. J'en vois qui fuient mon regard. Ça n'leur servira à rien ! Mortifère la voyante, ma renarde, lit dans les cœurs les yeux fermés. Alors écoutez-moi bien, tas de morveux, de bâtards et de dégénérés ! Vous m'appartenez, tous, jusqu'à la mort ! Je serai le maître partout où j'irai. Argon régnait sur les maquis du nord-est. Ha ! Moi, je vais conquérir tout le pays ! Rien ni personne ne doit m'arrêter, et c'est de vous que ça dépend. Que je dise de marcher, de jeûner, de se battre ou de mourir, vous le ferez sans discuter ! Les jeunes comme les vieux, les femmes comme les enfants ! Il y a deux jours de marche jusqu'à la rivière. On y sera demain midi ! Et pas d'traînards : c'est marche ou crève ! Tambours, doublez la cadence. Exécution !

Les tambours se mirent à battre à une vitesse folle, tandis que la horde entière se lançait dans une marche forcée. Chacun abandonnait peu à peu ses objets lourds ou encombrants pour pouvoir garder le rythme. Sigrif marchait en tête, la renarde à ses côtés lui indiquant le chemin.

Maboul et Balafre trottinaient à l'arrière, leurs lames nues prêtes à s'occuper des traînards ou des déserteurs. La leçon avait pénétré tous les crânes. Quant à Sigrif, il venait d'ajouter un titre à son nom : l'Impitoyable !

Chapitre VI

Loin au-dessus du nuage de poussière soulevé par l'armée de Sigrif, hors de portée des frondes et des arcs, quatre points noirs planaient dans le ciel sans nuages. C'étaient des corbeaux. Deux d'entre eux obliquèrent vers le sud pendant que les deux autres restaient à surveiller la horde. Portés par les courants chauds et la brise légère, les éclaireurs rejoignirent les collines vers midi. Virant sur l'aile, ils se posèrent au milieu d'une petite forêt de pins.

Cracula, chef de la tribu, était perché sur une souche, immobile, le plumage couvert de terre, de poussière et d'aiguilles de pin. L'immense oiseau pleurait sa mère ; nul n'osait l'approcher. Les deux éclaireurs se posèrent à distance respectueuse, puis attendirent que Bec-de-cane, la femme de Cracula, se dandine vers eux pour faire leur rapport.

— Craaa ! Ils sont aussi nombreux que les grains de sable portés par le vent, dame Bec-de-cane, et ils viennent vers nous. Ils seront là demain, à l'heure où le soleil est haut dans le ciel.

— Yagaaa ! Tu as entendu ? lança la terrible corneille à son mari. Les assassins de ta mère arrivent !

De rage, les griffes du grand corbeau s'enfoncèrent dans l'écorce de la souche. Ses yeux injectés de sang lui sortirent des orbites, comme s'il voyait déjà la scène.

— Rrrâââ ! croassa-t-il en direction des arbres. Beaucoup d'entre eux vont mourir demain, vous m'entendez, mes frères ? Cracula a parlé !

Un vacarme assourdissant monta du bois de pins où des centaines de corbeaux s'étaient mis à caqueter sauvagement tous ensemble. Cracula secoua la terre et les aiguilles de son plumage chatoyant, d'un noir bleuté. Le grand oiseau hocha avec force son terrible bec en criant :

— Crraa ! Nos petits auront de quoi picorer pour longtemps quand les os des fripouilles qui ont tué ma mère blanchiront au soleil !

Solaris le Formidable était aux portes de la forêt des ténèbres. Allongé sur le sol, il vit les battants nimbés de brume s'ouvrir lentement, puis s'écarter sans bruit. Son corps était comme aspiré vers l'ouverture, il ne pouvait pas résister. Ses terribles souffrances s'estompaient, et il éprouvait un désir intense d'entrer dans la forêt des ténèbres pour s'y reposer. Les portes s'ouvrirent plus largement. Il aperçut deux puissants blaireaux souverains, en armure ; l'un portait une redoutable épée, l'autre une hache à double tranchant. Un troisième blaireau les rejoignit. Vêtu simplement, sans arme, il sourit à Solaris.

— Mon petit, tu ne me reconnais pas ?

Solaris lui rendit son sourire à travers les larmes qui lui montaient aux yeux.

— Père !

— Oui, mon fils, c'est moi, Blairion, le mari de ta mère, Bella de Blairfeuillus. Ces deux blaireaux souverains sont Biso le Héros, ton grand-père, et le seigneur Blairfeuillus, ton arrière-grand-père. Écoute ce qu'ils ont à te dire, c'est important.

Biso le Héros et le seigneur Blairfeuillus croisèrent leurs armes, barrant du même coup l'entrée de la forêt des ténèbres, puis parlèrent d'une même voix.

— Sire, tu ne peux entrer !

Solaris éprouva une immense tristesse. Il souhaitait rejoindre ses ancêtres et voilà qu'ils le rejetaient.

— Pourquoi me refusez-vous d'entrer ? Je suis fatigué, je voudrais dormir. Et pourquoi me donnez-vous le titre de sire ?

De nouveau, les voix sépulcrales des deux blaireaux souverains se mêlèrent :

— Tu dois vivre encore de longues saisons avant de venir ici. Ne te rends pas, lève-toi, la montagne t'attend ! Elle a grand besoin d'un blaireau souverain !

Dans la grotte, l'écureuil, qui s'appelait Ormon, se frottait le dos piteusement.

— Oh, mes pauvres vieux os sont encore tout raides à force d'avoir tant tiré et poussé. Ça faisait longtemps que j'avais pas trimé comme ça, les amis. Enfin, on a réussi, et grâce à votre natte de jonc, ma bonne Nénette.

La brave taupe piqua du museau dans son tablier.

— Parrdi, j'allions ben pouvoirr la met' à la poubelle, maint'nant. Aprrès tout ce ch'min avec ce bon m'sieur Solarris dessus, l'est complèt'ment usée. Et on n'vaut guèrrre mieux !

Au dehors, fidèles à eux-mêmes, les petits jouaient dans l'herbe sous le doux soleil du matin. Inconscients de la gravité de l'état de Solaris, ils avaient inventé un nouveau jeu, la chasse aux vipères. Les deux petites taupes, accrochées l'une à l'autre, criaient :

— Au s'courrs, à l'aide ! Les vilains serrpents veulent nous manger !

Tim et Théo jouaient conjointement le rôle de Solaris.

— Bouzez pas ! On va vous sauver !

Quant à Cath et Béné, les deux petites hérissonnes, elles hurlaient :

— Vite, sauvez-les avant qu'elles soyent manzées en entier !

— Grrr ! Allez-vous-en, méssants reptiles visqueux ! grondaient Tim et Théo en rossant des vipères imaginaires. Tiens, prends ça, 'spèce de sale serpent suant et savonneux, et toi aussi !

Mimi Piquant sortit de la grotte en courant, une patte sur les lèvres.

— Chut ! Faites moins d'bruit, les petits ! Solaris est très malade.

Interrompant leur jeu, les petits se suspendirent à son tablier.

— M'man, pourquoi il est malade ?

— Mais les blaireaux, y sont trop grands pour êt'malades !

— Est-ce qu'y va mouru, Solarus ?

Mimi fouilla dans la poche de son tablier et en sortit quelques quartiers de pomme séchés qu'elle leur distribua.

— Solaris ira mieux si vous arrêtez d'faire du bruit, leur dit-elle. Allez, soyez sages, maint'nant. Pensez à lui, mes bébés.

Les petits s'assirent en rang dans l'herbe et mangèrent en se surveillant les uns les autres.

— Hé, l'Théo, ça s'rait-y pas qu'tu mâches un peu forrt ?

— Z'y peux rien, z'ai eu une pomme qui fait du bruit.

— Eh ben, t'as qu'à ferrmer la bouche !

— Mais alors, z'pourrai plus parler !

— Eh ben tant mieux ! Comme ça, j't'entendrrons moins, hi, hi, hi !

Ormon, vieil écureuil plein de sagesse, était assis avec Timi, Nénette et Tarin autour d'un thé à la menthe et de galettes d'avoine sauvage tartinées de miel. Les quatre amis mangeaient leur petit déjeuner en silence, sans quitter des yeux le blaireau, couché sur sa paillasse odorante de joncs et d'herbe séchée. Cresserel n'avait pas quitté le chevet de son ami depuis deux jours et deux nuits.

Mimi entra sans bruit et tira doucement une plume du faucon.

— V'nez manger, messire Cress'rel. Sinon, on va d'voir vous soigner vous aussi.

Le faucon la suivit à contrecœur jusqu'à la table.

Solaris gémit faiblement et tenta de se retourner. Aussitôt, Ormon se précipita pour le calmer, rafraîchissant son front brûlant avec des feuilles d'épinard humides. Il vérifia les cataplasmes qu'il avait appliqués sur les blessures de son patient, puis déclara :

— On dirait qu'il va s'en sortir. J'ai jamais vu une telle force de la nature. En principe, personne ne survit à une morsure de vipère, encore moins à deux… et regardez-moi comme il dort : un vrai bébé !

Timi versa un bol de thé parfumé à l'écureuil.

— Grâce à vos soins, Messire. Il faudra qu'vous nous passiez le secret d'vos remèdes.

La recette des cataplasmes était dans la famille d'Ormon depuis des générations. Il la récita volontiers à ses nouveaux amis :

Si le patient, ayant tâté du venin de serpent,
Aux portes de la forêt des ténèbres gît,
Prépare ce vieux remède pour lui,
Tu feras reculer l'ombre de la nuit.
Cherche du sorbier les fruits,
Ajoute une petite pomme de pin,
Une feuille tendre de framboise enfin,
Que tu auras sous une pierre aplatie.
Chauffe le tout au feu et, dès que bruni,
Mélange vite pour obtenir la bouillie.
Applique brûlant et serre bien
D'une écorce de bouleau sur le membre atteint.
De l'aube au crépuscule change souvent,
Et garde le patient couché sous l'auvent.
Peut-être survivra-t-il pour te remercier,
Alors, bénis surtout sa force de volonté !

Tarin Miraud pointa sa grosse patte de terrassier vers le blaireau.

— Bah dame ! C'est-y pas lui l'plus forrt, not'grrand messirrre Solarris ?

— J'comprends ! approuva Mimi Piquant de tout son cœur. Lui seul est capable de tuer une paire d'serpents après avoir été mordu deux fois !

Ils avaient eu bien du mal à ramener Solaris jusqu'à la grotte, où ils l'avaient veillé jour et nuit.

Maintenant que le blaireau reposait calmement, ils avaient tous du sommeil à rattraper. La matinée était chaude et paisible, les amis se détendaient, allongés dans l'herbe devant la grotte. Fatigués de jouer, les petits s'étaient glissés près de leurs parents. La douceur ambiante eut bientôt raison de leur résistance : quelques instants plus tard, leurs ronflements se mêlaient au chant lointain des oiseaux et au bourdonnement des abeilles.

Cependant, Tim et Théo n'étaient pas du genre à dormir toute la journée. Ils se réveillèrent peu avant midi. Chuchotant et pouffant, ils quittèrent les adultes endormis sur la pointe des pattes et pénétrèrent dans la grotte. Leurs sœurs, Cath et Béné, ainsi que les deux taupes, Lili et Lulu, les suivirent.

Les petites enfouirent leur visage dans leur tablier, imitant leurs mères.

— Vingt dieux ! C'est quoi qu'vous faites là, vilains ?

— Sortez d'là, z'allez réveiller Solaris !

Mais Tim et Théo avaient bien l'intention de voir leur héros.

— Mais non, on veut juste lui chanter la chanson tout douc'ment. Savez bien, celle qu'il adore.

Ils se placèrent autour de l'énorme masse du blaireau endormi. Lili remua prudemment le bout de son nez.

— Vrrai, on a drrôl'ment intérrrêt à chanter

doucement. Si jamais l'faucon nous entend, y va nous avaler tout crrus avec son grrand bec!

Les petits se mirent à chanter tout bas, leurs minuscules pattes caressant la large tête rayée d'or.

La forêt des ténèbres et ses portes effrayantes s'étaient retirées des rêves de Solaris. Il se promenait maintenant, solitaire, le long de collines fleuries, au fond de vallées riantes. S'allongeant à l'ombre fraîche d'un grand chêne, il leva les yeux vers le ciel. Soudain, le paysage s'assombrit. Un visage apparut au-dessus de lui. C'était celui d'un blaireau, le visage le plus beau et le plus sage qu'il ait jamais vu, lisse et calme comme la surface d'un lac à l'aube. D'instinct, il reconnut sa mère, Bella. Le jeune blaireau se sentit heureux et triste à la fois, rempli d'un désir ardent et, en même temps, profondément apaisé. Bella lui caressa la tête en souriant, sereine et bienveillante, puis se mit à fredonner :

Dors malan satan, là-bas au sud, à l'ouest,
Dans'rons à la mant', c'est là que j'aime être,
Armons sal adant, où mouette prend son vol,
Dans alarm atons, chante, danse et batifole.
Viens, ô mon petit perdu, marchons,
Ensemble, la montagne trouverons
Et reviendrons à...

— ... Salamandastron! hurla Solaris, terminant tout seul la chanson.

Ses amis, endormis à l'extérieur, s'éveillèrent en sursaut, comme sous l'effet d'un coup de tonnerre. Ils bondirent sur leurs pattes, poils et piquants hérissés par le rugissement assourdissant sorti de la grotte. Cresserel cria de frayeur et s'envola droit comme une flèche; les petits déboulèrent au grand jour en braillant, tandis que le puissant beuglement retentissait de nouveau :

— Ioulaliiiie! Salamandastrooon!

Appuyé sur sa massue de bouleau, le blaireau apparut en boitillant dans la lueur vive du soleil. Malgré les larmes qui lui inondaient les joues, il souriait. Il jeta sa massue sur le côté et ramassa les petits pétrifiés dans ses larges pattes.

— Salamandastroooon!

Solaris se mit à tourner follement sur lui-même, jusqu'à tomber par terre avec un énorme bruit sourd, tandis que les bébés taupes et hérissons, gagnés par l'excitation farouche du moment, hurlaient avec lui :

— Salamandastroooon!

CHAPITRE VII

Cette nuit-là, le feu brûla tard dans la grotte où les amis s'étaient réunis pour une petite fête sans façons. Un ragoût mijotait dans la grande marmite, dégageant une fumée épaisse et odorante qui chatouillait les narines des convives, les incitant à se resservir jusqu'à deux fois, et même, dans le cas de Solaris, trois ou quatre fois. Ormon l'écureuil et l'oncle Blair avaient battu la campagne à la recherche des ingrédients. Bien sûr, le potager avait fourni pommes de terre, poireaux, navets et champignons, mais il avait fallu pousser plus loin pour les écrevisses, l'oignon sauvage, le fenouil et une délicieuse variété de haricots que seul Ormon connaissait. Les petits se régalèrent du flan à la crème préparé par Cresserel et Nénette. Il y avait aussi du pain aux noix et même du jus de framboise, fait avec les premières baies de la saison.

Solaris ne se lassait pas de raconter son rêve. Comme il reprenait encore toute l'histoire depuis le début, Timi sourit avec indulgence.

— Toi, tu te moques de moi ! lui lança Solaris en se servant une nouvelle écuelle de ragoût.

Le sourire du brave hérisson s'élargit.

— Non, j'me moque pas, j'suis juste heureux pour toi, le grand. Tu connais tes parents maint'nant et qui tu es et d'où tu viens. Hé, hé ! Salamandastron ! J'y aurais jamais pensé !

Le blaireau frappa du plat de son énorme patte sur la table.

— C'est ce que je me tue à te répéter : j'ai compris les paroles de la berceuse quand ma mère me l'a chantée. Dors malan satan, dans'rons à la mant', armons sal adant, dans alarm atons… c'est le même mot, avec les lettres inversées ! Salamandastron !

Le petit Théo grimpa sur la table et mordit sans vergogne dans la part de flan de Solaris.

— Ha, ha ! Mais ta môman, elle aurait pas su la sansson si on s'était pas mis à la santer !

Le grand blaireau caressa les piquants encore tendres de son jeune ami.

— Très juste. Sans vous, les copains, j'aurais bien pu y rester !

— Ça c'est ben vrrai, Messirrre ! s'écria Lulu.

Puis, léchant sa cuillère d'un air absent, elle ajouta :

— Ces serrpents, quand même, y z'ont drrôl'ment ben fait d'vous morrdrre.

Interdit, le blaireau ouvrit des yeux ronds, tandis que les autres se tordaient de rire, ayant compris comme il le fallait la remarque innocente de la jeune taupe.

De son pas dandinant, tante Narine alla chercher son bâton à clochettes dans sa niche. Oncle Blair se mit à cogner du gobelet en cadence sur la table.

— Harrdi, ma douce et tendrre ! cria-t-il. Chante-nous donc quelque chose…

Lili lui sourit d'un air câlin.

— Oh non, oncle Blairr, à vous d'commencer !

— Ah, mais c'est qu'elle me f'rrait tourrner en bourrrique, celle-là ! pouffa le vieux en tapotant la tête de velours de la petite. Soit ! C'est comme si c'était fait, mam'zelle !

Quelques instants plus tard, tous riaient de bon cœur en écoutant sa chanson.

Les chants et les danses s'enchaînèrent ainsi jusqu'à ce que les petits tombent de sommeil. On les porta dans leur lit alors qu'il ronflaient comme des bienheureux. Quand tout fut calme, Timi reprit son sérieux.

— Alors, Solaris, tu vas bientôt nous quitter, si j'comprends bien ?

Le blaireau hocha lentement sa grosse tête marbrée d'or.

— Eh oui, mon vieux Timi. Je partirai une heure avant l'aube.

— Il le faut, l'ami, c'est le destin, intervint Mimi en lui tapotant la patte. Jamais nous n'oublierons ce que tu as fait pour nous, tu es notre Sauveur à tête d'or.

Cresserel sauta de la corniche où il aimait se percher.

— C'est bientôt l'automne. Je vais rester un peu pour vous aider à préparer les fromages. Mais je continuerai mes vols de reconnaissance pour surveiller les agissements de Sigrif le Vicieux et, aussi, suivre ton avancée, Solaris. Tu peux partir tranquille, je me charge de protéger nos amis.

Solaris tendit sa lourde patte et la passa doucement sur le plumage du faucon.

— Qui méritera jamais un ami tel que toi, Cresserel ? dit-il d'une voix tremblante d'émotion.

Nénette piqua du nez dans son tablier pour cacher sa peine.

— J'm'en vais vous prréparrrer un grros sac de prrovisions, Messirrre. Faudrrait point qu'vous ayez faim pendant l'voyage. Et pis, ça vous f'rra p't-êtrre penser un peu à nous !

Submergée par l'émotion, elle fila, suivie de Mimi aussi bouleversée qu'elle. Solaris tendit ses deux pattes à Timi et Tarin, qui les lui serrèrent vigoureusement, avec force clignements d'yeux et hochements de tête.

— Allez vous coucher, maintenant, dit

Solaris. J'avais promis de ne pas partir sans dire au revoir. Alors, au revoir, Timi, et au revoir, Tarin. Au revoir, mes chers amis.

La taupe et le hérisson s'essuyèrent les yeux et disparurent au fond de la grotte.

Une heure avant l'aube, tous les habitants de la grotte, chaude et silencieuse, dormaient. Sans un regard en arrière, Solaris ramassa sa massue et son baluchon et s'en fut discrètement vers son destin. Dehors, dans la lumière pâle, un bruit le fit sursauter. C'était Ormon, une patte sur les lèvres. Le blaireau hocha la tête et les deux compères coupèrent à travers bois en direction du sud-ouest. Aucun d'eux n'ouvrit la bouche tandis qu'ils se frayaient soigneusement un passage dans les broussailles jusqu'au sommet d'un petit monticule. Au fond du ciel, vers l'est, le mauve et l'orangé opéraient une pâle percée. Les pigeons ramiers, les grives et les merles lançaient leurs trilles pour annoncer l'aurore. Le monde était paisible, vert et nimbé de rosée.

Soudain, le vieil écureuil s'arrêta. Saisissant la forte patte de son ami, il la serra vigoureusement.

— C'est ici que nos chemins se séparent.

Solaris prit garde de ne pas broyer la patte de l'écureuil.

— Merci, Ormon. Je serais mort sans toi. Mais où vas-tu aller maintenant ?

— Oh, je n'ai plus l'âge de voyager, sourit l'écureuil.

Il jeta un œil par-dessus son épaule et ajouta :

— Je vais retourner à la grotte couler des jours heureux auprès de ces braves gens. Ne t'inquiète pas, Solaris, je veillerai sur eux avec plaisir, tout comme ton ami le faucon.

— Tu es un bon écureuil, Ormon. J'ai le cœur plus léger de savoir que tu protèges les familles de Timi et de Tarin. Et nous nous reverrons, j'en suis sûr.

Fouillant dans son sac, le vieil écureuil en sortit une turquoise plate. La petite pierre, finement ciselée en forme de feuille de sycomore, était attachée à une cordelette. Ormon la tendit à Solaris.

— Ce porte-bonheur te servira peut-être un jour, dit-il. Montre-le aux loutres et aux écureuils que tu croiseras sur ton chemin. Dis-leur qu'il vient du chêne de Sapion et que c'est son fils, Ormon, qui te l'a donné. Ils t'aideront, tu verras. Alors, bonne chance, Solaris le Formidable. Trouve ta montagne, et que ton destin s'accomplisse !

Aussitôt dit, le vieil écureuil disparut en bondissant parmi les arbres, avec une agilité que lui auraient enviée de bien plus jeunes que lui.

Le soleil matinal faisait s'évaporer la rosée, enveloppant les bois d'une gaze de brume passagère. La végétation devenait de plus en plus dense, et Solaris progressait péniblement. Enfonçant ses griffes dans la terre épaisse, le blaireau descendait le flanc raide d'une colline boisée. Il nota une forte odeur de pourriture, tandis que le sol devenait plus mou et fangeux à mesure qu'il avançait. Parvenu en bas, il dut se tenir en équilibre entre un rocher et une souche de hêtre en putréfaction. S'installant du mieux possible, il déballa quelques galettes d'avoine et sortit une gourde de jus de pissenlit et de bardane. Tandis qu'il se restaurait lentement, Solaris explora du regard le grand marécage qu'il allait devoir traverser. Devant lui, et aussi loin qu'il pouvait voir de chaque côté, s'étalait une vase noire et traître, percée de hautes digitales au poison violent et de troncs à demi engloutis. Partout, la mousse et les lichens proliféraient, survolés par des essaims de moucherons.

À l'abri des buissons de sureaux, des centaines d'yeux froids observaient le blaireau sans ciller. Solaris rebouchait sa gourde lorsqu'un son bizarre lui fit dresser l'oreille. Jetant un rapide coup d'œil autour de lui, il identifia la source du bruit. C'était une flûte de roseau dans laquelle soufflait une petite salamandre maigrelette. L'animal sautillait et gambadait, passant d'une tige à l'autre sans se soucier du sol mouvant du marais. Enfin, il bondit aux côtés du blaireau.

— Bien le bonjour, petit messire, le salua Solaris.

La conversation s'arrêta là : la petite salamandre s'acharnait déjà sur le sac de provisions du blaireau, cherchant à y pénétrer. Solaris attrapa habilement l'impudent par la peau molle de son cou et le leva devant lui. Indigné, l'animal se débattit.

— Eh toi, pour qui tu t'prends ? nasilla-t-il d'une voix perçante et désagréable. Lâsse-moi et donne-moi tout d'suite à manzer, vite !

Solaris le secoua un peu pour le faire taire.

— Holà, du calme, insolent. Tu sais à qui tu parles ?

La petite salamandre essaya de le frapper avec sa flûte.

— À un gros plein d'soupe avec une bande zaune sur sa tête d'abruti !

Solaris en avait assez entendu. D'une pichenette de sa patte libre sous le menton, il assomma l'effronté, l'étendit avec précaution sur la souche et attendit qu'il revienne à lui. Dès qu'il remua et ouvrit un œil, le blaireau le coinça doucement sous son pied et entreprit de lui faire la leçon.

— Si tu ouvres encore la bouche, je t'écrase comme un vulgaire moucheron. Compris ? Alors, écoute. Tes parents n'ont pas dû t'apprendre la politesse. Tu débarques, tu fouilles dans mon sac, tu réclames à manger, tu m'insultes. Tu n'as aucun respect pour les autres ou quoi ? Tu as intérêt à tenir ta langue maintenant, c'est moi qui te le dis !

Le petit batracien déglutit, sa gorge se gonfla.

— Z'étais pas content, t'as à manzer, donne à Berk quelque sose à manzer… Siou plaît.

— Voilà qui est mieux ! Je m'appelle Solaris le Formidable. Tu as faim ? Parfait, je vais te dire ce qu'on va faire. Apparemment, tu connais le marais comme ta poche. Si tu acceptes de m'aider à le traverser, je te donnerai à manger. Ça marche ?

La salamandre se tortilla sous la patte du blaireau.

— Ça marse, ça marse ! Donne à manzer à Berk, ze te montrerai le semin.

Solaris cassa une galette d'avoine en deux, roula une feuille en cornet, la remplit de jus de pissenlit et tendit le tout à Berk. Le maigre animal se jeta sur la nourriture, aspirant le jus bruyamment et projetant des miettes de galette partout. Au grand étonnement de Solaris, il ne resta bientôt plus rien de la collation.

Berk agita son cornet vide sous le nez du blaireau.

— C'est booooon ! Encore !

Le blaireau fixa sur lui un œil sévère, jusqu'à ce qu'il ajoute :

— Siou plaît !

Solaris remplit de nouveau le cornet et tendit le reste de la galette au petit goinfre. Il n'avait jamais vu quelqu'un manger aussi salement. Dès qu'il eut terminé, Berk attrapa le porte-bonheur qui pendait au cou de Solaris.

— Zoli ! Donne à Berk en essanze de montrer le semin !

Le blaireau connaissait bien ce genre de créature. Il avait passé une bonne partie de sa jeune vie parmi la racaille, au camp de Sigrif. La seule chose que ces voyous comprenaient, c'était la force. Aussi décida-t-il d'impressionner un peu la salamandre. Il cueillit l'animal et le posa sur une branche basse de genêt.

— Ainsi, tu t'appelles Berk. Eh bien moi, je vais te montrer pourquoi on m'appelle Solaris le Formidable.

Il ramassa la grande massue de bouleau et la leva.

— Ioulaliiiie !

D'un seul coup, il fit voler en éclats la souche de hêtre pourri. Lorsque les morceaux de bois humide, la sciure, les larves et les limaces furent retombés, il ne restait plus rien. Berk était bouche bée et tremblait de tous ses membres. Solaris balança sa massue sur son épaule.

— Je t'ai donné à manger, j'ai rempli mon contrat. À toi, maintenant. Montre-moi le chemin. Allez !

Une longue procession de vers, d'anguilles et de salamandres rampait derrière Solaris tandis qu'il progressait prudemment à travers l'immense marécage. Il suivait son maigre guide, s'enfonçant parfois jusqu'à la taille, s'accrochant aux branches moussues d'arbres depuis longtemps immergés, tandis que Berk sautait négligemment de nénuphar en nénuphar. La progression était difficile. Au milieu du marais, une branche de chêne à demi couchée dépassait. Comme il s'en approchait, Solaris sentit la boue l'aspirer. Il se débattit sauvagement, à demi aveuglé par les projections mais incapable de s'essuyer les yeux ; il sentit le goût immonde de la vase dans sa bouche.

La voix de Berk résonna à ses oreilles.

— Accrosse-toi à la branse, gras-double, ou tu vas couler !

Rassemblant ses forces, Solaris se projeta en avant, tendant la patte à l'aveuglette dans la direction de la branche. Il eut un moment de panique, puis sentit le contact du bois. Passant la dragonne de cuir de sa massue autour d'un moignon du vieux chêne, il tira et réussit enfin, au bout d'un moment qui lui parut durer des siècles, à s'extirper de la vase mouvante.

Tremblant d'épuisement, le blaireau s'accrocha à la branche instable. Il lui avait fallu toute sa puissance pour arracher son énorme masse au marais. Tâtonnant lentement autour de lui, il eut la surprise de sentir son sac de provisions toujours attaché à la vieille corde qui lui servait de ceinture. Il plongea la patte dedans et en sortit sa gourde. D'un coup de dent, il fit sauter le bouchon et, renversant la tête en arrière, laissa couler le jus fruité sur ses yeux collés par la boue. Heureux d'avoir recouvré la vue, il se rafraîchit le gosier avec ce qui restait du jus, puis leva les yeux. C'est alors qu'il vit Berk et la bande de reptiles qui l'avaient suivi. La vilaine salamandre était perchée sur la tête d'une grosse anguille ; apparemment, c'était le chef de la bande.

Solaris s'efforça d'ignorer les autres tandis qu'il s'adressait à la salamandre.

— Allons, n'oublie pas notre marché. Tu dois me sortir de là. Par où dois-je aller ?

Les anguilles, les vers et les salamandres restèrent de glace, fixant leur regard hypnotique sur le blaireau. Berk, de son côté, était ravi du mauvais coup qu'il lui avait joué. Il le montra de la patte en ricanant comme un fou.

— Yi, hi, hi ! Et où tu veux aller, gros plein d'soupe ? Hi, hi, hi ! C'est l'endroit le plus profond du marécaze, abruti ! Y a plus qu'une direction : le fond ! Hi, hi, hi, hi, hi !

Solaris le Formidable, pris d'une colère noire, lança sa gourde vide sur la salamandre. S'il avait atteint sa cible de plein fouet, elle aurait été tuée sur le coup. Mais, dans sa rage, il visa de travers et la gourde heurta à la fois la salamandre et l'anguille sur laquelle elle était perchée. Berk s'effondra sur la tête de son chef, qui arborait maintenant un vilain bleu sous une bosse qui gonflait à vue d'œil.

L'anguille se dressa sur sa queue et ouvrit la gueule, découvrant deux rangées de dents verdâtres pointues comme des aiguilles.

— Ssssubmergez-le ! siffla-t-elle.

Les reptiles reculèrent tous ensemble et la branche de chêne commença à tourner sur elle-même. Solaris s'aplatit, s'accrochant aux branches secondaires. Avec horreur, il vit alors une liane épaisse sortir de la boue. Elle était attachée sous le tronc et les reptiles tiraient dessus.

Le blaireau ne pouvait rien faire. Suspendu à la branche qui continuait de pivoter, il hurla :

— Stop ! Arrêtez ! Qu'est-ce que vous voulez ?

La grande anguille se coula de nouveau dans la vase puis, s'enroulant sur la liane pour aider les autres à tirer, cria en retour :

— Toi ! Tu vas ssssombrer !

Glacé d'effroi, accroché à la branche qui tournait et s'enfonçait lentement dans les profondeurs insondables du marécage, Solaris comprit qu'il était perdu.

Chapitre VIII

En attendant la nuit, Cracula s'était retiré avec sa tribu derrière une ligne de collines basses, là où Sigrif le Vicieux et sa horde ne pourraient les voir. Le chef des corbeaux était à la chasse avec ses frères quand les fouines Balafre et Maboul avaient tué sa mère à coups de pierres. Les vieux, effrayés, lui avaient tout raconté à son retour. Le chagrin et la colère du corbeau avaient été terribles, surtout lorsqu'il apprit l'horrible fin de la dépouille. Cracula avait décidé de se venger. Il attendit que sa rage commence à s'apaiser, puis se prépara à frapper.

Sigrif était subitement devenu un grand seigneur de la guerre et la coqueluche de la horde : jamais celle-ci n'avait connu d'endroit aussi agréable, pas même dans l'est. Il y avait là une belle rivière, des arbres fruitiers et une abondante végétation comestible. On alluma les feux et on monta les tentes dans une atmosphère de liesse. Se servant d'une toile de tente comme d'un gigantesque filet de pêche, une équipe dragua le fond de la rivière sous les ordres de Mortifère, ramenant un paquet de chevesnes, de vandoises et de perches, et même un vieux brochet de belle taille.

Le furet aux six griffes s'était installé à l'ombre d'un arbre et décrivait un avenir radieux à ses officiers. Saline, sa discrète épouse, s'affairait, apportant fruits et poissons. Sigrif faisait à peine attention à elle.

— Et ce n'est qu'un début, pérorait-il. Laissez-moi une saison de voyage vers le sud-ouest et vous verrez, tous se rallieront à ma bannière.

— Mmm... vers le sud-ouest? Là où se trouve le blaireau? glissa, l'air de rien, Grigou le rat, désormais passé lieutenant.

La bonne humeur de Sigrif s'envola aussitôt.

— Qui t'a parlé du blaireau? gronda-t-il d'un ton inquisiteur.

— Ceux qui étaient avec toi avant que tu ne rejoignes le camp de messire Argon, répondit le rat, nullement intimidé par les sautes d'humeur du seigneur de la guerre. Ils disent que le blaireau est jeune, mais que c'est un grand guerrier et un farouche combattant.

Sigrif se pencha en avant avec inquiétude.

— Quoi d'autre ? Vas-y, raconte !

— Il paraît que c'est lui qui a écrasé ta patte à six griffes et l'a rendue inutilisable, et que tu as juré d'avoir sa peau.

Sigrif retourna son gobelet de métal et frappa dessus avec le gant de mailles aux attaches de cuivre qu'il portait toujours sur sa patte invalide. La timbale s'aplatit sous la force du coup. Sigrif fixa Grigou droit dans les yeux.

— Fais jamais l'erreur de croire que ma patte est inutilisable. Elle a tué plus d'ennemis que t'as mangé d'repas chauds, le rat. Quant au blaireau, j'ai entendu dire qu'il se faisait appeler Solaris le Formidable maintenant. Eh bien, c'est moi qui te l'dis, son heure est proche !

— Et comment vous saurez où trouver ce Solaris le Formidable ? s'enhardit Gal, la belette.

Sigrif leva le menton vers Mortifère.

— Dis-leur.

— Des rats de mer qu'on a rencontrés sur la côte, il y a quelques saisons de ça, expliqua brièvement la renarde. Y nous ont parlé d'une montagne, là-bas vers le sud-ouest, contrôlée par des lièvres et des blaireaux. Elle a un drôle de nom et, d'après eux, un blaireau qui voyage finit toujours par tomber dessus. C'est leur destin, ou quelque chose comme ça.

Gal haussa les épaules avec dédain.

— Pff ! Des rats d'mer ! Personne croit c'que racontent ces vauriens flottants. On en a tué une poignée plus haut sur la côte, à l'est, la saison passée. Avant d'mourir, y z'ont dit qu'y z'avaient entendu parler d'une grande abbaye aux murs rouges qui se s'rait construite dans l'sud. Tu parles ! Y s'raient capables d'raconter qu'les poules ont des dents si ça pouvait sauver leur peau.

— J'ai parlé avec un vieil hibou, mentit Sigrif avec assurance. Il connaissait la montagne aux blaireaux. Et les hiboux disent la vérité, tout le monde sait ça. Alors approchez-vous, j'vais vous répéter c'qu'il a dit.

Les lieutenants se serrèrent autour de leur chef. Le furet parla à voix basse :

— La montagne aux blaireaux et aux lièvres, a dit le hibou, abrite aussi un fabuleux trésor, des épées serties de joyaux, des dagues en or, des boucliers parés de perles et de pierreries. Grâce à la horde, nous prendrons la montagne par la force. Ensuite, je partagerai le trésor, mais avec vous seulement, mes braves lieutenants. Ce que je vous dis là doit rester entre nous, ce sera notre secret. Les sans-grade n'ont pas besoin de le savoir. Alors, vous marchez avec moi ?

Les lieutenants se regardèrent les uns après les autres, les yeux brillants de convoitise. Grigou prit la parole au nom de tous.

— Oui, seigneur Sigrif, vous pouvez compter sur nous !

Le reste de la journée s'écoula gaiement, chacun jouant, se restaurant et sommeillant à loisir dans le camp dressé au bord de la rivière. Tard dans la nuit, autour des feux alors réduits à de simples braises, les membres de la horde dormaient profondément, épuisés par leur marche forcée pour sortir du désert. Une brise légère agitait les portes des tentes et ridait la surface de l'eau. Même les sentinelles s'étaient assoupies. C'est alors que Cracula choisit d'attaquer...

Balafre et Maboul ronflaient devant la tente de leur seigneur. Les deux tueurs étaient supposés veiller sur lui, mais ils étaient aussi fatigués que les autres et, quand ils sentirent un fin lacet leur serrer le cou, il était déjà trop tard. Quatre corbeaux, les griffes enfoncées dans le sol, tiraient sur les nœuds coulants. Pendant ce temps, Cracula ranimait un feu à l'extrémité du camp en remuant énergiquement ses braises. Sans bruit, Bec-de-cane, sa femme, abaissa son aile. C'était le signal qu'attendait l'armée des corbeaux. La tribu ailée se mit à l'œuvre.

Les oiseaux se rassemblèrent en silence au-dessus du feu, chacun tenant entre ses griffes une longue corde au bout de laquelle se balançait un paquet de mousse et d'herbes sèches dégoulinant de résine. Un par un, ils passèrent au-dessus des flammes afin de faire prendre feu à ces petits buissons. Filant tels des fantômes noirs, les corbeaux survolèrent alors les tentes et lâchèrent dessus les colis embrasés, puis ils attendirent la suite, décrivant des cercles haut dans le ciel, hors de portée des flammes.

Trois furets sortirent en hurlant d'une tente en feu. Aussitôt, Cracula et ses frères fondirent sur eux et les tuèrent, avant qu'ils n'aient pu s'échapper. D'autres apparaissaient çà et là dans les lueurs de l'incendie, qui éclairait maintenant toute la scène. Les corbeaux ne faisaient pas de quartier : la vengeance de Cracula était fulgurante et sans pitié.

Sigrif sortit en trombe de sa propre tente sans un regard pour son épouse, toussant et titubant derrière lui, à demi asphyxiée. Il attrapa par la patte la renarde qui passait en courant devant lui et hurla :

— Qu'est-ce que c'est qu'ce bazar, par la griffe et la dent ? Qui a foutu le feu aux tentes ?

Mortifère montra quatre silhouettes noires qui s'acharnaient sur un rat hurlant de terreur dans la lueur des flammes.

— Des corbeaux ! Y en a partout… Aïe !

L'un des assaillants venait de planter ses griffes dans le dos de la renarde. Sigrif l'aplatit d'un coup de son poing ganté. Tirant son épée, il rugit :

— À la rivière, vite ! Sautez dans l'eau ! Archers et frondeurs, avec moi !

Immergé jusqu'à la taille, le furet frappait l'eau du plat de son épée et ralliait ses troupes.

— Bandez les arcs et les frondes ! Là ! Et là, espèce d'imbéciles ! Vous les voyez pas dans les flammes quand ils descendent ? Ils sont pas si nombreux ! Allez, bougez-vous ! Tirez !

Une volée de pierres et de flèches fusa en sifflant dans le ciel noir, suivie d'une autre, puis d'une autre encore. Cracula, voyant les ravages opérés par les projectiles dans ses rangs, s'éleva hors du danger en croassant :

— Crrraa ! Suivez-moi, mes braves, on va leur montrer que la tribu n'a peur de rien ! Plus haut, mes frères, plus haut !

Mortifère retrouva Sigrif et lui montra le ciel.

— Ils sont hors de portée, Messire, mais ils se préparent à fondre sur nous !

Le seigneur de la guerre réagit aussitôt. Il fit passer le mot à ses lieutenants :

— À vos lances et à vos piques ! Gardez-les baissées en attendant mon signal !

La vivacité d'esprit de Sigrif mit un terme à l'affrontement. Cracula lança ses chasseurs comme la foudre sur l'ennemi. La dernière chose que la plupart d'entre eux, incapables de s'arrêter à temps, entendirent fut : « Relevez les lances ! »

La riposte avait provoqué une telle hécatombe parmi les corbeaux qu'ils furent obligés de battre en retraite.

Le matin trouva Sigrif et ses officiers assis sur la berge en train de regarder les tentes finir de se consumer. Les soldats, dont certains avaient la fourrure horriblement brûlée, se succédaient au rapport.

— On a trouvé les fouines Balafre et Maboul étranglées, Messire.

Sigrif les chassa d'un mouvement de son épée.

— Tant mieux, de toute façon, j'leur aurais réglé leur compte moi-même. Y z'auraient dû me prévenir de l'attaque. Et les autres sentinelles?

Gal montra deux rats.

— Y reste plus qu'ceux-là, Messire.

La figure du furet resta de marbre tandis qu'il prononçait la sentence :

— Tuez-les. Ils me servent à rien à dormir pendant l'service. Et arrangez-vous pour qu'les autres vous voient faire. Ça leur servira de leçon.

Une fouine nommée Grison arriva en courant, hors d'haleine.

— Seigneur, on a vu les corbeaux! Y sont dans l'bois de pins, là-bas. On attend vos ordres pour attaquer!

Sigrif secoua la tête, comme désespéré.

— Non mais écoutez-le! Crétin! Ils ont sûr'ment préparé une embuscade, alors laissons-les là où ils sont. On gagnera rien à rester ici, ni à faire la guerre à une bande de corbeaux.

Mortifère se glissa aux côtés de son maître et lui chuchota quelque chose à l'oreille. Le visage du furet s'éclaira. Il hocha la tête, puis se leva et lança à la cantonade :

— Sauvez ce que vous pouvez et préparez vos affaires, on lève le camp!

La horde s'ébranla au milieu de la matinée. Comme elle prenait la direction du sud-ouest, Sigrif fit signe de la tête aux archers rassemblés autour d'un feu.

— Rendez-leur la monnaie de leur pièce. Tirez !

Des flèches enflammées fusèrent sur le bois de pins. Celui-ci ne demandait qu'à s'embraser, avec sa couche d'aiguilles sèches sur le sol, ses vieux pins dégoulinant de résine et ses troncs morts entrecroisés, aussi inflammables que de l'amadou. Une fumée noire s'éleva dans le ciel tandis que les corbeaux s'entassaient sur la berge comme des tas de vieux chiffons sombres.

Cracula regardait le bois de pins brûler.

— Craa ! On va les suivre et les tuer un par un, jusqu'au dernier ! croassa-t-il. En route !

La horde apprit la nouvelle peu après midi. Un rat qui se traînait à l'arrière fut enlevé, hurlant, dans les airs par une douzaine de corbeaux. Les volatiles s'élevèrent aussi haut que leur fardeau gesticulant le leur permettait, puis le lâchèrent dans le vide au-dessus des troupes de Sigrif. Le malheureux creusa un mini cratère dans le sol tandis que ses compagnons sautaient de côté pour l'éviter.

À la suite de cet épisode, le seigneur de la guerre posta une compagnie d'archers à l'arrière-garde, qui marchaient à reculons et gardaient leurs arcs bandés. Plus tard, les corbeaux attrapèrent un autre rat, mais sur le flanc droit cette fois, à hauteur du milieu de la colonne, si bien que les archers ne purent leur tirer dessus de crainte de toucher leurs camarades. Avant le coucher du soleil, ce fut le tour d'un troisième, sur le flanc gauche, près de la tête. La mauvaise humeur de Sigrif grimpa d'un cran. Il ordonna à la renarde de venir à sa hauteur. Tout en lui piétinant plusieurs fois les pattes et en lui enfonçant son poing ganté entre les côtes, il lui passa un savon.

— Les faire sortir du bois, hein ? Quelle idée lumineuse ! De quoi j'ai l'air, maintenant ? D'une lopette, comme toi ! Ces emplumés vont nous suivre jusqu'au dernier. Alors, toi qui vois si bien l'avenir, grouille-toi de trouver une solution !

La confusion commençait à régner dans les rangs : les rats, comprenant qu'ils étaient les seuls à pouvoir être portés par les corbeaux, paniquaient. Bousculant fouines, furets et belettes, ils essayaient de se placer au milieu de la horde, là où les oiseaux n'oseraient pas les cueillir. Les autres les repoussaient brutalement, prétendant garder la place pour eux-mêmes et leurs familles. De leur côté, les corbeaux avaient eux aussi la vie dure. Les archers et les frondeurs les bombardaient sans relâche de pierres et de flèches.

La nuit tomba, Sigrif était obligé de faire halte. Un cercle de feu fut allumé autour du camp pour empêcher les corbeaux de fondre sur leurs victimes. La moitié de la horde fut postée debout, lances, piques et javelots tournés vers le ciel, tandis que l'autre moitié se reposait en attendant de prendre la relève. Sigrif ordonna à Mortifère de profiter du couvert de la nuit pour s'éclipser et chercher plus loin une solution à leur problème. Cracula et sa tribu se tapirent dans le noir, hors de portée des feux de camp.

Bec-de-cane harcelait son mari sans répit.

— Rrrraaa ! La vengeance est une idée stupide ! On sera bien avancés quand on sera tous morts ! On a déjà tué assez de rampants pour venger dix fois la mort de ta mère. Il faut penser à l'avenir, nous devons trouver un nouveau territoire. Si on se fait tous tuer, il ne restera plus personne pour vanter nos exploits, personne pour raconter combien Cracula était bête et courageux ! Tchaaa !

Elle suivait le commandant des corbeaux qui, furieux, se dandinait entre ses chasseurs endormis dans l'espoir de se débarrasser d'elle.

— Yagaaa ! Lâche-moi les plumes, tu veux ? croassait-il d'un ton sec. C'est à moi de décider si ma vengeance est accomplie ou non. La tribu m'appartient, mes désirs sont des ordres. Et maintenant, fiche-moi la paix !

Ainsi s'écoula une partie de la nuit, aussi troublée et agitée d'un côté que de l'autre : pour la horde, dérangée par les tours de garde, pour les corbeaux, empêchés de dormir par les tirades incessantes de l'épouse de leur chef.

L'aube était encore loin quand la renarde, de retour au camp, se glissa sous la tente de Sigrif.

— Il y a du nouveau. J'ai trouvé un ravin profond et sinueux, pas très loin d'ici. Une rivière coule au fond avec, apparemment, des grottes le long de la berge. Je n'ai pas vu âme qui vive.

Sigrif se leva et tira son épée d'un air résolu.

— Parfait. Dis à mes lieutenants de faire lever le camp. On va aller s'abriter dans les grottes. Je verrai après comment me débarrasser de ces emplumés !

La horde pénétra dans le défilé par l'amont, trébuchant sur les rochers dans le noir et toujours harcelée par les corbeaux. Ce fut une vraie scène d'apocalypse. Sigrif et ses lieutenants hurlaient leurs ordres à la horde par-dessus les croassements assourdissants des oiseaux ; archers et frondeurs tiraient à l'aveuglette, pendant que les autres piquaient la nuit de leurs lances. Pataugeant dans l'eau, ils traversèrent la rivière et s'entassèrent dans les grottes, noires comme de l'encre. Il n'y avait pas assez de place pour tous : beaucoup durent se contenter de l'abri des lupins et des ronces qui couvraient les flancs escarpés du ravin. Sigrif avait réussi à allumer un feu dans l'une des grottes. Il regarda les nattes de jonc et d'herbes sèches dans les coins, puis se tourna vers la renarde.

— Alors, comme ça, t'as pas vu âme qui vive, hein ? Alors qui habite ici, tu peux me l'dire ?

Un concert de cris et de croassements terrifiés venus du dehors évita à la renarde de répondre à cette question embarrassante.

— Messire, écoutez, il se passe quelque chose dehors ! s'écria-t-elle.

Le seigneur de la guerre jeta un œil par l'ouverture, prenant garde à ne pas s'exposer.

— Bah, il fera bientôt jour. On verra tout à l'heure.

Un râle de suffocation retentit tout près, faisant sursauter Sigrif et Mortifère. La renarde recula furtivement jusqu'au fond de la grotte, évitant le regard de son maître. Celui-ci la menaça de son poing ganté et gronda :

— Tu mériterais que je t'envoie dehors, espèce de poule mouillée ! Parfois, j'me dis que t'es plus nuisible qu'utile à quelque chose !

Au bout d'un certain temps, le calme revint au dehors. On n'entendait plus que les faibles gémissements des blessés.

Le jour se leva, gris sous un ciel bas. Sigrif passa la tête par l'ouverture de la grotte et vit un petit groupe de renards patauger vers lui. Leur chef, une grande renarde à l'air peu commode, tenait à la patte comme les autres quatre lanières assemblées portant chacune une pierre ronde attachée au bout. Le seigneur de la guerre s'efforça de masquer sa surprise quand elle parla : elle avait la langue bleue.

— C'est toi le chef de cette batterie mal assortie ? aboya-t-elle.

Sigrif vit quelques-uns de ses soldats pointer prudemment le museau à l'entrée des grottes, tandis que d'autres dégringolaient depuis les flancs du ravin. D'un coup d'œil, il mesura ses pertes au nombre de carcasses étalées sur les rochers. Des renards, une cinquantaine peut-être, ramassaient les cadavres des corbeaux et les empilaient les uns sur les autres. Le furet tira son épée et lança d'une voix forte :

— Je suis Sigrif le Vicieux, chef de guerre de cette horde. Je vois que tu m'as tué des soldats. Pourquoi ?

La renarde fit tournoyer négligemment son arme, les grosses pierres au bout des lanières s'entrechoquant en cadence.

— Bah, c'est qu'un détail, une bavure, quoi ! T'es débarrassé des corbeaux ou pas ?

Levant les yeux, Sigrif se rendit à l'évidence. Il n'y avait plus un seul corbeau vif alentour. Il vit un jeune renard arracher des plumes de la carcasse de Cracula pour en décorer sa queue.

— Mouais, y a plus d'corbeaux, reconnut le furet. Qui es-tu, l'amie ? Tant pis pour la poignée de soldats que tu m'as pris, ces volatiles commençaient à m'chauffer les oreilles.

La langue bleue de la renarde pointa nettement entre ses dents quand elle répondit.

— Je suis Prunella, et le ravin m'appartient. Tu peux camper là quelque temps, Sigrif le Vicieux…

Ses yeux luirent de convoitise lorsqu'elle porta le regard sur l'épée du seigneur de la guerre.

— Vous avez de belles armes en fer, poursuivit-elle. Des lances, des poignards. Et des boucliers de métal, aussi.

Sigrif fut aussitôt sur ses gardes.

Apparemment, les habitants du ravin prisaient les armes en métal. Sigrif rengaina son épée. Un plan machiavélique commençait à se former dans sa tête.

CHAPITRE IX

Les reptiles sifflaient joyeusement en tirant sur la liane. Tandis que la branche s'enfonçait lentement, le blaireau sentait son corps massif aspiré avec elle dans la vase. Les pattes écartées, la tête renversée en arrière, il essayait de résister à l'emprise du marais, mais c'était peine perdue. Il poussa une dernière fois son cri de guerre avant de disparaître à jamais dans les profondeurs épaisses.

— Ioulaliiiie !

Cresserel fondit sur les assassins avec la vitesse de l'éclair. Une seconde plus tard, la grande anguille se tortillait dans les airs, prise entre les terribles serres du faucon qui lui martelait la tête de son bec.

— Criii ! Si mon ami meurt, je te tue ! Dis à ta bande de visqueux de se placer sous lui et de le remonter, vite !

Bien qu'à demi étranglée, l'anguille siffla de toutes ses forces :

— Sssstop ! Le laisssssez pas couler !

Alors que sa bouche était déjà pleine de vase, Solaris se sentit soudain soulevé. Sous lui, la masse grouillante faisait office de radeau. Cresserel obligea l'anguille à serrer la liane entre ses dents, puis il commença à s'élever, lentement, sans lâcher sa proie. De son côté, sachant sa vie en jeu, le serpent tenait bon.

Par chance, la liane était assez longue. Cresserel réussit à rejoindre un banc de terre ferme sur lequel poussaient des tilleuls et des aulnes. S'élevant aussi haut que possible, il lâcha l'anguille au sommet d'un arbre et se saisit de la liane. Abandonnant le serpent échoué dans les branches, il passa trois fois la liane autour du tronc, la noua, puis revint à tire-d'aile vers Solaris.

— Criii ! Cherche la liane et tire dessus !

Le blaireau fouilla désespérément la vase : c'était sa seule chance, il le savait. L'espace d'un instant, sa tête s'enfonça complètement. Cresserel sentit un vent de panique souffler sur lui, puis il poussa un ouf de soulagement quand, tel un monstre préhistorique noir et gluant, son ami réapparut, sortant peu à peu du limon en tirant sur la liane, qu'il avait enfin trouvée. Aveuglé par la boue, toussant et crachant de la vase, le blaireau se hissait patte après patte le long de la liane, tendue à se rompre. Cresserel survolait la scène en criant des encouragements tandis que les reptiles, qui avaient ressorti la tête, regardaient sans ciller le géant couvert de fange se haler en grognant, tout suffoquant, jusqu'au banc de terre ferme. Enfin, dans un dernier bruit de succion, Solaris le Formidable s'arracha au marécage maudit.

À bout de forces, le grand blaireau ne bougeait plus. Sous le soleil brûlant, le carcan de boue qui recouvrait sa fourrure virait déjà au gris ciment. Cresserel s'affairait autour de lui, nettoyant avec soin de la pointe du bec les saletés dans ses yeux et ses oreilles. Toujours crachant, Solaris montra les reptiles d'un faible signe de tête.

— Ils ont l'air déçu. Ils auraient eu de quoi manger pendant trois saisons s'ils avaient réussi à m'étouffer.

La bande de vers, d'anguilles et de salamandres réfugiée sur la rive les observait intensément. Quelle ne fut pas la surprise de Solaris quand il vit Berk tituber vers lui et lui lancer avec un sourire grimaçant en coin :

— Coucou, gros plein d'soupe ! Alors, t'as réussi à sortir de là ?

Le blaireau tendit mollement la patte pour l'attraper, mais pas assez vite. L'incorrigible salamandre avait déjà disparu dans les buissons. Un instant plus tard, on l'entendait crier :

— Aïe ! Lâssez-moi ! Z'ai rien fait !

Deux loutres apparurent, l'une d'elles tirant Berk par une patte de derrière. Replets et bien nourris, les deux complices se déplaçaient avec la grâce commune à leur espèce. Elles saluèrent Cresserel de la tête et examinèrent Solaris, puis la plus grande des deux prit la parole.

— Eh ben, mon lapin… On a entendu du boucan tout à l'heure, alors on a traversé pour j'ter un œil. J'm'appelle Auban Rivière, et le gros à face de crapaud, là, c'est Filin Delaberge.

Filin tendit prestement Berk par la patte à Solaris.

— Salut ! Tiens-moi ça une seconde, tu veux ?

Et il se jeta sur Auban. Les deux compères roulèrent dans la poussière, ruant et se bourrant mutuellement de coups de poing.

— Face de crapaud toi-même, espèce de bonbonne à la dérive ! Les Delaberge ont toujours été dix fois plus beaux que les Rivière !

— Ha, ha ! Beaux, t'as dit beaux ? Ta propre mère te laissait pas nager, tu faisais trop peur aux poissons !

Accrochés l'un à l'autre, ils continuaient de se marteler les côtes en riant comme des tordus et en se couvrant d'insultes.

— Ton père a essayé de t'échanger contre un têtard quand t'étais p'tit, il le trouvait moins laid que toi, ho, ho, ho !

— Ha, ha, ha ! Ma grand-mère a toujours dit : le jour où je verrai un Rivière présentable, je pourrai mourir tranquille. Eh ben, elle vit toujours !

Solaris s'assit, le petit Berk gigotant toujours sous sa patte.

— Si vous arrêtiez cinq minutes de vous chamailler, ça me fatigue rien que de vous regarder !

Les deux loutres s'interrompirent aussitôt et se penchèrent pour examiner le blaireau sous sa croûte de boue.

— Que je sois emporté, ça serait pas un blaireau là-dessous ?

— Ouais, on dirait. Et il est plus joli que toi, même tout crotté. Bouge pas, mon pote à la compote, je m'en vais te laver le pont à l'eau douce.

Filin fila chercher de l'eau pendant qu'Auban saisissait Berk par la peau du cou et le secouait sans ménagements.

— Espèce de sale ver gluant, je parie un épilobe* contre une écrevisse que c'est toi le responsable de tout ça !

La salamandre se débattit et cria en montrant l'anguille qui pendait dans l'arbre :

— C'est pas moi, c'est lui là-haut !

Auban sourit largement à Cresserel.

— Ah, c'est toi, je suppose, qu'a mis le tortillé là-haut. Et si t'emmenais ce vilain pleurnichard le rejoindre... Ils sont potes, au fond, et c'est tout de même malheureux qu'ils soient séparés, non ?

Malgré ses pitoyables gémissements, la sala-

* Épilobe : plante vivace des lisières de forêts.

mandre fut emportée dans les airs et déposée au faîte de l'arbre, à côté de l'anguille renfrognée qui se tenait enroulée autour d'une branche fine. Le chef des reptiles siffla :

— Me fffaites pas bouger ! Je… jjj'ai mal au cœur !

Cresserel lui agita une serre devant la figure.

— Estime-toi plutôt heureux d'être encore en vie, sale vermine !

Filin n'avait pu trouver qu'une poignée d'herbes humides. Néanmoins, il nettoya les yeux et les narines de Solaris du mieux qu'il put.

— Là… Déjà, tu peux voir et respirer normalement. Suis-nous : ce gros nigaud et moi, on va t'aider à sortir du marais. Au fait, ça te dirait de visiter notre terrier ? Tu as faim, peut-être ?

Solaris les remercia et se releva péniblement.

Auban scruta les environs.

— Une minute… Il est où, ton copain le faucon ?

Le blaireau s'ébranla, des plaques de boue se détachant de sa fourrure.

— Oh, Cresserel ? Il aime aller et venir librement. Il me sait en sécurité avec vous, alors il a décidé d'aller faire un tour. À propos, qu'est-ce qu'on fait des deux zigotos dans l'arbre ? Ils vont mourir de faim si on les laisse là-haut.

— Eux ? pouffa Filin. Tu parles ! Ils trouveront bien un moyen de glisser jusqu'en bas quand on sera partis. En attendant, un peu de pénitence ne leur fera pas de mal !

Le jour tombait lorsqu'ils quittèrent le marécage et pénétrèrent dans une zone boisée parsemée de vieilles roches polies. Les loutres se dirigèrent vers celles-ci et bondirent par-dessus une rangée de fougères. Solaris entendit un bruit d'éclaboussures. Suivant des yeux la ligne des roches, de plus en plus hautes et massives, il découvrit une superbe chute d'eau.

Auban réapparut, l'air de rien, et appela Solaris.

— On va bientôt savoir si t'es vraiment un blaireau, sous ton manteau de boue. J'espère que tu es moins moche que l'autre épouvantail à moineaux !

Se bousculant en rigolant, les deux loutres plongèrent sous la chute, laissant le courant les malmener. Un peu inquiet d'abord, Solaris passa avec précaution sous la cascade, puis il se sentit revivre au contact de l'eau pure et glacée qui tambourinait sur lui. Il était comme lavé de sa fatigue. Poussant un rugissement joyeux, il rejoignit les loutres et les attrapa toutes deux à bras-le-corps.

— Ioulaliiiie ! C'est moi, Solaris le Formidable, et j'ai bien plus fière allure que vous deux réunis, pauvres fous à bille de clown !

En guise de représailles, Auban et Filin l'immobilisèrent ensemble par une double clé*.

— Vite ! Coulons-le avant qu'il ne fasse peur aux p'tits ! hurla le premier.

— Quelle horreur ! renchérit le second. Un blaireau avec un nez en patate !

* Double clé : en sport, prise par laquelle on immobilise l'adversaire.

Ils se roulèrent dans l'eau en riant tous les trois. Soudain, Filin plongea sous l'épais rideau de la cascade et disparut. Solaris s'essuya les yeux et regarda Auban.

— Où il est parti ?

— À la maison, mon lapin. Donne-moi la patte, je vais te montrer.

Derrière la cascade, totalement invisible de l'extérieur, se trouvait une ouverture. Solaris prit patte sur un surplomb dans la paroi et suivit Auban le long d'une corniche légèrement incurvée avant de pénétrer dans une grotte parfaitement sèche, au sol jonché de paille. Filin avait déjà allumé le feu à l'aide d'un petit morceau d'amadou.

— Bienvenue chez nous, mon pote à la compote, dit-il. Y a pas beaucoup de confort, mais ça suffit pour deux beaux gaillards comme nous.

Solaris s'ébroua, puis se bouchonna énergiquement avec une poignée d'herbe sèche et parfumée. Filin alla chercher des gobelets et un gros pichet de sirop d'églantine et framboise. Auban, occupé à couper les poireaux et les navets au-dessus de la marmite, loucha sur la massue de bouleau de Solaris.

— Sacré casse-caboche, mon lapin. C'est toi qui l'as fabriqué ?

Solaris soupesa son arme avec tendresse.

— Oui, c'est ma massue, dit-il.

L'incorrigible loutre désigna une botte de larges racines rouges.

— Ton pilon, tu dis ? Eh ben, à moins que tu préfères flanquer une bonne fessée à ce vieux Filin pour le redresser un peu, tu pourrais peut-être réduire ces racines en poudre, histoire de pimenter la soupe.

Le blaireau se servit de l'extrémité arrondie de sa massue pour broyer les racines. Auban en saupoudra la soupe, ajouta des écrevisses séchées, quelques pousses d'ortie, des champignons et des carottes.

Assis autour du feu, ils attendirent que la soupe cuise. Puis Filin leur servit des bols fumants accompagnés de pain d'orge. Le breuvage était délicieux, mais si piquant que le blaireau manqua s'étouffer. Il se jeta sur son gobelet de sirop pour calmer la brûlure de sa gorge.

— Hou, la, la ! J'ai la gorge en feu ! Qu'est-ce que c'est que cette soupe ?

Auban se mit à chanter :

Quand j'étais petit,
Je pleurais tout l'temps,
Et grand-mère alors,
Me flanquait dehors.
Mais ma bonne maman,
La bonne soupe aidant,
Savait m'consoler,
Et m'réconforter !

Au bout de quelques cuillerées, Solaris commença à apprécier le breuvage. Finalement, il en mangea plus que ses deux amis réunis. Ensemble, ils chantèrent, burent et mangèrent jusqu'à ce qu'ils s'endorment sur place, devant le feu rougeoyant, bercés par le bruit de la cascade.

Lorsque Solaris s'éveilla, il ne savait plus si c'était la nuit ou le jour. Auban avait remis du bois et soufflé sur les braises pour ranimer le feu. Le blaireau bâilla, s'étira, puis attrapa le pichet et avala une bonne rasade de jus d'églantine.

Pour la première fois, il remarqua une ouverture au fond de la grotte.

— C'est une sortie de secours ? demanda-t-il.

— C'en était une, mon pote, répondit la loutre. Tu sens l'air ? C'est ce qui garde sa fraîcheur à la grotte quand le vent souffle dans la bonne direction. C'était notre passage secret et puis, un jour, à la fonte des neiges, un rocher s'est détaché et l'a bouché. Heureusement, on reçoit toujours un p'tit filet d'air quand le vent est au sud-est.

Pendant que les loutres préparaient le repas, Solaris examina l'ancienne issue. Effectivement, un rocher de belle taille l'obstruait, ne laissant filtrer que quelques rayons de soleil obliques. Le blaireau se mit à déloger les pierres et les gravillons autour, jusqu'à ce qu'Auban l'appelle.

— Eh, si t'aimes pas les biscuits à la cannelle avec du miel et du thé à la menthe, te dérange pas : on les mangera pour toi, moi et l'autre affreux !

Solaris ne se le fit pas dire deux fois. Il engloutit un solide petit déjeuner, tout en exposant son idée à ses amis.

— Vous allez ranger toutes vos affaires sur le côté pour que je puisse débloquer la sortie de derrière. Je vais pousser le rocher dans la grotte depuis l'extérieur. Quand vous l'entendrez bouger, vous aurez intérêt à sortir de là en vitesse. Ou plutôt non : venez avec moi, vous me montrerez le chemin.

Les deux loutres le suivirent, se poussant du coude en riant à l'idée qu'on puisse imaginer ébranler un telle masse.

— Personne ne fera jamais bouger ce rocher! Il est là une bonne fois pour toutes. On a déjà essayé tous les deux, au printemps. Y a pas eu moyen. Il est complètement coincé, Solaris.

— Si quelqu'un pouvait enlever ce rocher, il aurait droit à un sacré festin et à tous nos compliments. Ho, ho, ho!

L'accès par l'extérieur se faisait par un boyau naturel, qui s'enfonçait dans la montagne au-dessus de la chute d'eau. Solaris y grimpa et se mit à déblayer les blocs de pierre coincés autour du rocher, les passant au fur et à mesure à ses amis derrière lui. Dès que le rocher lui parut suffisamment dégagé, le blaireau cala son épaule dessus et se mit à pousser, soufflant et grognant tandis qu'il cherchait le meilleur appui pour ses pattes de derrière. Auban et Filin attendaient dehors, visiblement inquiets.

— Sors de là, Solaris, mon pote! Ça n'sert à rien!

— Tu vas te faire du mal, mon lapin ! Tout ça pour un stupide morceau de pierre, ça vaut pas le coup !

La large tête à bande d'or apparut à la sortie du tunnel. Solaris leur lança un regard furieux : le sang de ses ancêtres guerriers commençait à bouillir dans ses veines.

— Écoutez, les deux quasimodos, vous avez intérêt à la fermer ! Vous êtes mes amis, figurez-vous ! Vous m'avez sorti du marais, logé, nourri et réchauffé. Alors je paie ma dette en dégageant la sortie de derrière. C'est compris ? Maintenant, vous restez assis sagement… et que je ne vous entende plus !

Ainsi vertement mouchées, les deux loutres suivirent du regard leur ami, qui s'enfonçait de nouveau dans le tunnel.

Cette fois, Solaris se cala dos au rocher, prenant appui sur les parois de chaque côté, les pattes bien à plat sur le sol. Ses muscles se bandèrent, ses tendons saillirent. Il concentra toute sa volonté sur son objectif : vaincre le lourd rocher encastré dans le passage. Les puissantes mâchoires du blaireau se serrèrent comme un étau, un peu d'écume moussa au coin de ses lèvres, ses veines se gonflèrent et ses griffes rayèrent profondément les parois de pierre.

On entendit un léger craquement. Un peu de poussière s'échappa du haut du rocher, se mêlant aux gouttes de sueur qui tombaient du museau rayé. Poussant encore plus fort, Solaris ferma les yeux et se sentit comme enveloppé d'un brouillard rouge. Alors, les quatre blaireaux, son père, sa mère et ses deux aïeuls, le rejoignirent par la pensée. Ils parlèrent d'une même voix sonore :

Le blaireau souverain, rien ne peut arrêter,
Ni la lame de l'épée ni la pierre du rocher !

Un rugissement tonitruant monta du plus profond de la poitrine de Solaris. Le sang s'engouffra dans ses veines comme un torrent et il écrasa son dos sur la pierre.

— Ioulaliiiie !

L'énorme rocher, brutalement libéré, roulait droit devant lui. Solaris tomba à la renverse, rouvrit les yeux et vit le bloc débouler dans la grotte, prendre de la vitesse avec la pente, faire une embardée sur la corniche et déchirer le rideau de la cascade. Au dehors, Auban et Filin avaient entendu le vacarme. Ils contournèrent en vitesse les rochers, juste à temps pour voir le bloc de pierre apparaître au milieu de la chute et s'écraser plus bas dans la rivière dans d'une gerbe impressionnante.

— Eh, vieux loup de mer ! Regarde !

— J'en ai jamais douté, mon gars. Je le jure !

Solaris prit une dernière douche dans les eaux vertes de la cascade nimbée de soleil, à la fois pour se rafraîchir et laver sa fourrure de la sueur et de la poussière. Puis il se laissa sécher dans l'herbe, allongé de tout son long au bord de la rivière. Munis de bâtons de marche et de trois sacs à dos bourrés de provisions, Auban et Filin bondirent à ses côtés.

Le blaireau s'assit et s'ébroua.

— Mmm… et on peut savoir où vous comptez aller, comme ça, espèce de cauchemars ambulants ?

Ce fut Filin qui répondit.

— Avec toi, bien sûr, ô très beau !

— Pff ! C'est ce que vous croyez, répliqua Solaris en attrapant sa massue et l'un des sacs. Il n'est pas question que j'emmène une paire d'affreux jojos comme vous… vous allez faire peur aux moineaux.

Auban balança son sac sur l'épaule avec un large sourire.

— Laisse tomber, bouton d'or, on vient avec toi, un point c'est tout. Tu portes le talisman de Sapion autour du cou : nous devons te suivre.

Solaris se souvint alors de la turquoise en forme de feuille de sycomore que lui avait donnée Ormon. Vu l'expression résolue qu'affichaient les deux loutres, il était inutile de discuter.

Tandis qu'ils cheminaient vers le sud, le blaireau prit la pierre dans sa patte et l'examina d'un air songeur.

— D'après Ormon cette pierre a un pouvoir singulier. Mais pourquoi ?

Auban lui expliqua la signification du talisman de Sapion.

— Jadis, les écureuils et les loutres de ces contrées ne se fréquentaient pas. C'était chacun chez soi. Sauf deux petits : Sapion, le fils de la reine des écureuils, et Fleurdeau, la fille d'un grand capitaine des loutres. Ces deux-là étaient copains comme cochons, toujours fourrés ensemble. Un jour, ils ont été capturés par des rats de mer et emmenés loin d'ici. Mais Sapion a coupé ses liens avec ses dents et s'est échappé. Il a alors suivi les rats et, une nuit, pendant que les autres dormaient, il a tué deux sentinelles et libéré Fleurdeau. C'était encore qu'un bébé, il avait été blessé dans la bagarre, mais malgré ça, il a porté la petite tout en haut d'un grand sycomore et a tenu les rats à distance avec sa fronde minuscule, jusqu'à ce qu'un groupe de loutres et d'écureuils, partis à leur recherche, les délivre tous les deux. Il était temps ; il n'avait plus qu'une pierre, une turquoise plate trop grosse pour sa fronde. C'est celle que tu portes autour du cou : le capitaine des loutres l'a sculptée en forme de feuille de sycomore. Depuis, les loutres et les écureuils sont alliés. Et voilà, maintenant tu sais pourquoi celui qui porte la turquoise sculptée inspire respect et loyauté aux loutres et aux écureuils qu'il croise sur son chemin.

Solaris regarda la pierre avec un respect nouveau.

— Belle histoire… Et qu'est devenu le courageux Sapion ?

— Oh, il s'est rétabli, mais il a gardé une patte folle et on le voyait rarement grimper aux arbres après ça. Alors, il a appris à nager, on dit même qu'il était plus loutre qu'écureuil, à la fin.

— Mais, reprit Solaris, intrigué, comment ont-ils pu se faire capturer par des rats de mer ? Je ne savais pas qu'ils s'enfonçaient si loin dans les terres.

— Comment ça ? On n'est pas si loin de la côte, répliqua Filin. Il tendit la patte. Les grandes eaux sont à quelques jours de marche, par là.

— Eh bien, on y va, dit Solaris en changeant de direction. Quand j'aurai atteint la mer, je n'aurai plus qu'à suivre la côte vers le sud. Allez, mes beautés !

Auban hésita.

— Euh... C'est pas trop conseillé de passer par là, mon lapin. Ça grouille de corsaires et de rats de mer, pire que dans une fourmilière.

Poursuivant sa route, Solaris jeta par-dessus son épaule :

— Si un bébé écureuil a pu les vaincre, on devrait en venir à bout aussi, à nous trois. Et puis, de toute façon, ils prendront sûrement leurs pattes à leur cou en voyant vos têtes ! Ha, ha, ha !

Deux jours passèrent, sans incident notable. Les trois amis progressaient plutôt facilement ; le temps était agréable, la nourriture abondante. Au soir du deuxième jour, ils commencèrent à escalader des collines boisées de plus en plus escarpées. Enfin, Solaris décida de faire halte, sous les arbres chétifs de l'ultime butte. Dans les derniers rayons du soleil couchant, il nota un léger miroitement à l'horizon.

— La mer, mes mignons, la mer ! s'écria-t-il.

Encore tout essoufflé, Filin allumait le feu à l'abri du vent.

— Eh ben, ça fait plaisir d'avoir escaladé toutes ces collines pour que le beau gosse voit la mer !

— Pff, tu parles de collines ! C'est pas plus des collines que je descends du hibou ! renchérit Auban en déballant les provisions. C'est des montagnes, ouais, et on est même sur la plus haute, à l'heure qu'il est !

— Eh bien, au moins, on n'aura pas à monter plus haut, rétorqua Solaris en riant. Ça ne sera que de la descente, demain, montagne ou pas. Allez, bande de crapauds, où est-ce que vous avez caché les pâtés aux champignons ?

Ils firent chauffer leur dîner sur un lit de brindilles vertes disposées au-dessus du feu. Filin arrosa de miel trois belles tranches de cake aux fruits pendant que Solaris remplissait les gobelets de cidre frais.

Allongés autour du feu, ils se restaurèrent en goûtant la brise légère. Auban cligna de l'œil à Filin d'un air câlin.

— Moi, je dis que c'est toi qui prends le premier quart, camarade. Normal, tu es le plus moche.

Filin fit mine de se lever, puis se rassit.

— On va le jouer aux devinettes. Celui qui perd prend le premier quart. Qu'est-ce qui monte, qui monte, qui monte, sans jamais quitter le sol ?

Auban répondit du tac au tac.

— Ces vaches de montagnes, comme celle où on est ! Facile, elle est connue. Euh, qu'est-ce qui plonge sous l'eau et qui remonte sans se mouiller ?

— Un œuf dans le ventre d'une cane, répondit Solaris en léchant le miel sur ses pattes. Même moi, je la connais ! Bon, alors… qu'est-ce qui tombe tous les soirs et se lève le matin ?

Filin renifla avec mépris.

— Le jour, évidemment ! Et qu'est-ce qui fait…

Il souffla deux fois bruyamment par le nez et reprit :

— Alors, vous avez trouvé ?

— Deux taupes autour d'un flan aux prunes.

Filin fixa Auban avec des yeux ronds.

— Comment t'as trouvé ?

— C'est moi qui l'ai inventée, patate !

Ils se jetèrent l'un sur l'autre, jusqu'à ce que Solaris les sépare.

— Ça suffit, vous deux. Je prends le premier quart.

Aussitôt, Auban et Filin voulurent passer en premier.

— Non, non, mon pote, j'y vais.

— Non, c'est moi !

Solaris fit tourner sa massue entre ses pattes d'un air menaçant.

— Je prends le premier quart, j'ai dit. Quelqu'un y voit un inconvénient ?

Les deux loutres s'aplatirent sur le sol, les yeux fermés.

— Hein ? Je n'ai rien entendu, je dors.

— Moi aussi, beauté, si on me demande, je dors !

Riant sous cape, Solaris laissa les deux incorrigibles et s'éloigna de quelques pas. Il s'installa sur un rocher d'où il pouvait embrasser du regard les alentours.

La première partie de la nuit fut calme. Les sens en alerte, Solaris savourait la paix des ténèbres parfumées. Il pensait à son ami Cresserel, aux longs mois de bonheur passés dans la grotte avec Timi Piquant, Tarin Miraud et leurs familles. Peu à peu, le souvenir des siens se mêla à ses pensées : son père, sa mère, ses aïeuls et, bien sûr, la montagne, cette montagne toujours, qui l'attendait quelque part vers le sud-ouest. Le feu se réduisit à quelques braises, puis mourut. C'était une nuit sans lune ; seules les étoiles parsemaient de blanc la vaste voûte céleste. Tout doucement, le blaireau, charmé, glissa sous le manteau de velours de la nuit. Ses paupières s'alourdirent, les bruits environnants s'assourdirent, se confondant en un faible murmure rassurant.

Un filet lesté s'abattit sur Solaris, le jetant à bas du rocher. Avant qu'il n'ait pu se dégager ou lever sa massue, le blaireau sentit le froid de l'acier sur sa gorge ; une douzaine d'épées et de poignards étaient pointés sur lui.

— Un geste et tu es mort ! lui gronda à l'oreille une voix grave.

Le filet se resserra : on le fixait au sol avec des piquets.

— Manga, vous avez réglé leur compte aux deux autres ? lança la grosse voix.

La réponse sortit des ténèbres.

— Oui, chef, y sont dans les pommes, tous les deux.

Solaris se débattit. Il sentit la pointe d'une épée le piquer plus fort sous le menton, tandis qu'une voix haute criait avec colère :

— Laissez-moi l'finir, chef !

Chapitre X

Sigrif se débarrassa sans peine de Prunella : ce fut même encore plus facile que pour Argon. Ils allaient diriger la horde ensemble, lui promit-il, et elle recevrait tout un lot de belles armes en fer. Alléchée, la renarde accepta avec empressement. Ils scellèrent leur pacte par une rasade de bon vin du Sud, Sigrif buvant directement au goulot et offrant à sa nouvelle alliée l'honneur de boire au calice d'argent empoisonné. Le chef de guerre aux six griffes retint avec peine un ricanement mauvais. Ils ne sauraient donc jamais, ces petits chefaillons, qu'il était le plus vil et le plus dangereux de tous ?

Une fois de plus, il était le seigneur incontesté de la grande horde. Les renards de Prunella s'étaient ralliés à lui sans difficultés, trop heureux d'abandonner leurs armes rudimentaires pour de solides pointes de fer et séduits par la promesse de butins fabuleux. Mais Sigrif n'avait pas compté avec Coufourré !

C'était un mâle de belle taille, un franc-tireur, un dur, farouche et indépendant, qui suivait la bande de Prunella sans en faire vraiment partie. Coufourré n'avait d'autre maître que lui-même. Sigrif l'avait remarqué quand la horde avait repris sa marche vers le sud-ouest. Sa haute silhouette se détachait tandis qu'il avançait avec assurance, sans jamais demander d'aide ni secourir personne. En plus, il s'était muni d'une hache d'armes à double tranchant, qu'il portait avec l'aisance de qui sait s'en servir.

Le deuxième soir, Sigrif décida de lui parler. Le seigneur de la guerre était l'un des rares membres de la troupe à disposer encore d'une tente. Il la fit dresser, puis posta ses gardes autour et ordonna d'allumer un feu devant. On disposa des coussins à l'intérieur et Saline, la femme de Sigrif, prépara un riche assortiment de mets et de boissons. Le furet avait l'intention d'impressionner son hôte par une démonstration de force et de splendeur.

Il envoya quatre gardes armés jusqu'aux dents chercher le renard mais, dès le début, la rencontre se passa mal. Coufourré entra, nonchalant, la hache négligemment posée sur l'épaule, sans prêter la moindre attention à son escorte. Il lança un clin d'œil goguenard à Sigrif et s'appuya au mât de la tente.

Sigrif l'examina avant de parler. Puis il leva une griffe recourbée vers Gal la belette, son lieutenant.

— Gal, débarrasse notre ami de sa lourde hache.

Sans lâcher son arme, Coufourré secoua la tête.

— Nan, mon pote. C'est ma hache, et personne me la prend, tu vois ?

Il éclata de rire au nez de Gal, qui hésitait, et ajouta :

— Et puis, de toute façon, elle est pas lourde, j'peux la manier comme je veux !

Il avança vivement d'un pas et fit décrire un cercle à l'arme. Gal sauta en arrière. Trop tard : la lame avait tranché son baudrier. Du plat de sa hache, le renard ramassa délicatement la ceinture et l'épée tombées par terre et les lança au lieutenant bouche bée.

— Y a pas d'mal, belette. Si j'avais voulu te tuer, on s'rait déjà en train de t'enterrer en deux morceaux !

Sigrif se leva et marcha jusqu'au renard.

— Je suis Sigrif le Vicieux, chef de guerre de cette horde ! lui lança-t-il à la figure, d'un ton impérieux.

— Ouais, à ce qu'y paraît, répondit Coufourré en regardant ailleurs avec insolence, comme s'il le congédiait. Sinon, quoi d'neuf, furet ?

Sigrif lutta pour conserver son calme.

— Alors, c'est toi, Coufourré. J'entends à ton accent que tu viens du nord. Qu'est-ce qui t'amène par ici ?

Le renard haussa les épaules et sourit avec condescendance.

— Oh, c'est une longue histoire. Et sans doute que j'vais faire encore un bout d'chemin avec vous, si j'en crois toutes tes histoires de trésors et d'butins.

L'entretien tournait à l'avantage du renard. Sigrif décida de changer de tactique. Il sourit et donna une grande claque dans le dos de son adversaire.

— Tu m'plais, toi, t'es le genre de gars qui m'convient. Ça te dirait de devenir lieutenant dans mon armée ?

Coufourré secoua la tête en ricanant.

— C'est pas mon truc, furet. J'laisse ça à ceux qu'aiment marcher droit et jouer aux p'tits soldats. Je m'occupe déjà de moi, ça m'suffit.

Jurant intérieurement, Sigrif se força à garder le sourire.

— Ne pas recevoir ni donner d'ordres… c'est pas une mauvaise idée. Viens t'asseoir, Coufourré, on va manger un morceau et boire un coup.

Le grand renard éclata de rire.

— T'es un malin, Sigrif, hein ? Tu bois à la bouteille et moi au calice d'argent ! C'est ça ton plan ? Eh ben, c'est raté. J'ai déjà mangé, et maint'nant j'vais m'coucher. Bonsoir.

Sur ce, sans attendre la permission du seigneur

de la guerre, Coufourré balança sa hache sur son épaule et sortit.

Après son départ, Sigrif bondit sur un des gardes et l'assomma d'un terrible coup de son poing ganté de fer.

— Tiens ! Ça t'apprendra à sourire bêtement ! Y a d'autres candidats ? J'suis prêt !

Sur un signe de Mortifère, les lieutenants et les gardes quittèrent en vitesse la tente.

— Ce Coufourré est dangereux, seigneur, dit la renarde en faisant les cent pas derrière le trône. Il sait qu'on a empoisonné Prunella. De plus, il va falloir être prudents : il est très admiré. Soyons patients. Tout vient à point à qui sait attendre.

Le furet serra les dents à s'en meurtrir les mâchoires.

— J'voudrais finir ce sale goupil cette nuit, dans son sommeil !

— Trop risqué, seigneur. C'est un combattant aguerri, il vient du nord. Il n'est pas du genre à se laisser tuer comme ça ! Et, en cas d'échec, vous vous ridiculiseriez aux yeux de la horde.

Sigrif examina sa patte aux six griffes dans son gant de mailles.

— J'suppose que t'as raison, renarde. On va attendre. Tu vas partir devant, en éclaireur, pour trois jours. Assure-toi qu'on est sur le bon chemin. J'veux pas les entendre marmonner si on s'paume encore ; ce Coufourré s'rait trop content.

Mortifère fourra quelques provisions dans un sac.

— Je pars tout de suite. Ne vous inquiétez pas, seigneur, il n'est pas écrit que Coufourré influencera votre destin.

Sigrif tira son épée recourbée puis en éprouva le tranchant.

— Non, mais c'est moi qui vais décider du sien !

Les jours suivants, le prestige de Sigrif se dégrada. L'histoire de son entrevue avec le renard, grossie par la rumeur, faisait le tour de la horde, se gonflant à chaque fois un peu plus.

— J'te dis, l'Sigrif, il était tout péteux devant Coufourré.

— Qui c'est qui t'l'a dit ?

— Un des gardes qu'étaient dans la tente. Il a dit que Coufourré, il avait coupé le baudrier d'Sigrif en morceaux avec sa hache.

— Et alors, qu'est-ce qu'il a fait, Sigrif ?

— Rien du tout ! Il est resté là, tout tremblant. Alors, Coufourré, il a étendu le lieut'nant Gal d'un seul coup d'poing !

— Dis donc ! Il a dû frapper drôl'ment fort : c'est un costaud, le lieut'nant !

— Pff ! Personne n'est aussi costaud que l'renard ! T'as vu l'morceau ? J'aim'rais pas avoir affaire à lui !

— Eh ben ! J'te parie qu'y s'ra bientôt le chef de la horde.

Sigrif entendait des murmures et des rires étouffés autour de lui, sans pouvoir identifier les coupables. Heureusement, ils avançaient facilement au milieu d'une prairie verte et grasse parcourue de ruisseaux chantants. Le soir, le seigneur de la guerre était seul sous sa tente, ses lieutenants ne prenant presque plus la peine de venir au rapport. Puis son sommeil était hanté de visions de Solaris. Et quand il se réveillait, il ne pensait plus qu'à une chose, malgré ses difficultés du moment : tuer son ennemi, le blaireau qui avait écrasé sa patte aux six griffes.

Pendant ce temps, Coufourré profitait de sa notoriété et se pavanait devant ses admirateurs. Dans la horde, beaucoup penchaient en sa faveur. Certains lui apportaient à manger, d'autres dressaient une tente pour lui, toujours prêts à satisfaire le moindre de ses désirs. Les lieutenants le craignaient d'autant plus qu'il ne ratait pas une occasion de battre leur autorité en brèche. Ses prouesses à la hache étaient devenues légendaires. De temps à autre, il tranchait comme par accident la poignée de la lance d'un officier.

— Oh, pardon, camarade ! Tu t'es jeté dans mes pattes au moment où j'm'entraînais. Enfin, y a pas d'mal, hein ?

Il lui arrivait aussi de retarder la moitié de la horde en s'arrêtant exprès en cours de route. Il s'asseyait au bord d'un ruisseau, se trempait les pattes dans le courant et lançait à la cantonade afin que nul n'en perde une miette :

— Ouh ! Continuez sans moi à courir après

c'blaireau ! J'vous rattrap'rai p't-être à la nuit tombée !

Morose et silencieux, le seigneur de la guerre poursuivait sa route, n'osant répondre aux insolences du renard de peur d'être vaincu. Mais il se rendait bien compte que, tant qu'il ne relevait pas le défi, il continuait de baisser dans l'estime de la horde et de ses lieutenants. Tôt ou tard, il allait devoir affronter Coufourré, il le savait.

La renarde revint au plus profond d'une nuit sans lune. Le seigneur de la guerre bondit des coussins sur lesquels il était étendu depuis des heures sans pouvoir trouver le sommeil.

— Mais où t'étais passée, par la foudre et le sang ? Ton rapport, vite ! J'espère que t'as d'bonnes nouvelles, au moins !

Elle en avait. L'esprit vif de Sigrif travaillait à toute vitesse pendant que la renarde lui décrivait son parcours.

— La horde marche vers le sud, Seigneur, et non le sud-ouest. Mais peu importe. À deux jours d'ici, une grande rivière coule vers l'ouest. Si on la suit jusqu'à la mer, on n'aura plus qu'à longer la côte.

Sigrif hocha la tête avec impatience.

— Ouais, bon, on peut pas s'perdre en suivant une rivière, t'as raison. Mais t'as découvert autre chose, renarde, je le sens ! Raconte !

Mortifère se pencha et baissa la voix, savourant son rôle de conspirateur :

— Avant de tomber sur la rivière, j'ai rencontré un peu à l'est deux vieilles belettes mal embouchées. Elles vivent près d'un grand trou, une carrière, qu'elles disent. Et le plus amusant, c'est que ces deux sorcières habitent dans une hutte entourée de grosses cordes étalées par terre…

— Des cordes ? Pour quoi faire ?

— C'est exactement ce que je leur ai demandé, Seigneur. Elles ont dit que c'était à cause des serpents, qu'un serpent passe jamais sur une corde…

Sigrif fixa la renarde dans le noir.

— Des serpents ! Combien ?

— D'après les belettes, y a un énorme nid de vipères dans la carrière. Je suis allée regarder au bord. Les belettes m'ont montré les entrées du nid. Celui qui entre là-dedans n'en ressort pas vivant.

Le furet se gratta le menton d'un air pensif.

— Un grand trou infesté de serpents…

— D'après les deux vieilles, continua la renarde d'une voix où perçait l'incrédulité, la carrière est l'œuvre d'habitants de la forêt qui avaient besoin de grès pour construire quelque chose. Les serpents se seraient installés après leur départ. À mon avis, c'est une légende.

Sigrif la fit taire d'un geste de sa patte gantée de fer.

— Aucune importance ! S'il y a bien un grand trou plein de serpents, comme elles disent, je crois que j'ai une excellente idée. Alors écoute-moi bien, car il va falloir jouer serré !

Le lendemain, une brise légère animait la prairie, parsemée de taches d'ombre et de soleil. Sigrif se tenait sur un tertre, la face et les dents fraîchement maquillées, sa cape ondulant au vent. Il s'adressa à la horde d'une voix forte où perçait une nouvelle confiance en lui.

— Nous avons marché plein sud car je savais qu'une grande rivière coule vers l'ouest à moins de deux jours d'ici. Nous allons continuer jusqu'à elle et la suivre jusqu'à la mer. Si vous marchez bien, vous aurez droit à deux jours de repos. Vous pourrez manger, dormir et faire ce que vous voudrez. Alors, levez l'camp et en route !

La horde poussa un hourra peu convaincu. La plupart de ses membres ne paraissaient guère pressés de repartir. Quelque part au milieu de la foule, la voix de Coufourré s'éleva.

— Ceux qui veulent chasser le blaireau, suivez l'furet !

— Si tu crois que Sigrif le Vicieux a fait tout ce chemin pour traquer un blaireau, souffla une voix à côté de lui, c'est que tu as la cervelle ramollie, compère !

Coufourré regarda Mortifère avec curiosité.

— Qu'est-ce qui t'fait dire ça ? Tu sais quelque chose ?

La renarde se tapota le bout du museau avec un sourire rusé.

— J'en sais plus que quiconque sur Sigrif le Vicieux. Ne crois pas qu'il est venu ici pour un blaireau. Si tu veux savoir la vérité, suis-moi.

Coufourré suivit Mortifère, qui se fraya un passage dans la multitude jusqu'à un bosquet de frênes, quelque peu à l'écart du campement. Elle s'assit et tapota l'herbe à côté d'elle pour indiquer à Coufourré de l'imiter. Le renard inspecta les alentours, puis choisit lui-même où s'asseoir, le dos appuyé contre un arbre, sa hache à portée de patte.

— Tu m'auras pas, ma vieille, lui dit-il. Je sais que t'appartiens à Sigrif.

La renarde lui lança un regard amer et répondit d'une voix vibrante :

— Depuis trop longtemps, en effet. Mais je suis fatiguée d'être traitée comme une moins que rien : fais ceci, fais cela, va chercher ci, va chercher ça, oui, Seigneur, non, Seigneur…

Coufourré sourit.

— Mmm, répondit-il en jouant avec le manche de sa hache. Et qu'est-ce qui t'a fait changer d'avis, tout d'un coup ?

Mortifère se pencha vers lui et lui saisit la patte.

— Toi, Coufourré ! Sigrif a peur de toi. D'ici peu, il ne sera plus le chef de la horde, ça se voit comme le museau au milieu de la figure ! Je veux être du côté du plus fort. Tout le monde sait que tu seras le prochain chef !

Le renard pinça les lèvres d'un air futé.

— Continue. Tu commences à m'intéresser.

— L'histoire du blaireau n'est qu'une ruse, reprit Mortifère avec excitation. Sigrif veut le pouvoir et l'argent. En tant que seigneur de la guerre, il a déjà le pouvoir. Quant à l'argent, il est caché dans un endroit secret, vers le sud-est. C'est un trésor que des rats de mer ont enterré il y a des saisons, après avoir remonté la grande rivière!

Le renard dressa aussitôt l'oreille.

— Ah, un trésor, tu dis? Où ça?

— Seuls Sigrif et moi le savons. On a combattu les rats il y a très longtemps, sur la côte est, et on les a tous tués. Avant de mourir, leur chef nous a avoué l'emplacement du magot. Mais Sigrif est devenu trop puissant pour partager quoi que ce soit. Je cherche quelqu'un en qui je puisse avoir confiance, un renard comme moi, qui accepte de partager le trésor et le pouvoir sur la horde.

Coufourré cracha par terre et lui tendit la patte.

— Si tu m'doubles, j'te tue. Mais si tu me dis où est l'trésor, je marche avec toi. T'as ma parole, grand-mère.

Mortifère cracha à son tour et serra la patte du grand renard.

R'nards unis nul jamais n'attrape,
Prends ma patte et scelle le pacte!

— Bon. Quand on sera à la rivière, Sigrif va donner deux jours de repos à tout le monde, le temps de filer récupérer le butin. Il a dit à la horde de marcher vers l'ouest, mais si tu suis la rivière dans l'autre sens et que tu remontes un peu à l'est, tu verras un grand trou dans le sol, une carrière. C'est là que le trésor est caché. Sois prudent. Tu verras aussi une vieille hutte. Contourne-la : elle appartient à deux belettes, deux sorcières qui surveillent la carrière. Ce sont les gardiennes du trésor. Elles sont dangereuses, ne te fais pas voir ! Entre dans la carrière en cachette, de l'autre côté de la hutte. Il y a plein de trous dans la paroi au fond du puits. Choisis le plus gros. C'est un tunnel qui mène au trésor, tu n'auras qu'à creuser une fois arrivé au bout. Et emmène deux amis de confiance pour t'aider à tout emporter, car le butin est sacrément lourd : il a fallu des saisons et des saisons aux rats pour l'amasser. Il paraît qu'il y a une hache en or sertie de joyaux encore plus grande que la tienne.

Les yeux de Coufourré luirent de convoitise à l'énoncé de toutes ces richesses, ce qui ne l'empêcha pas de demander :

— Et tu s'ras où, toi, pendant ce temps ?

La renarde approuva de la tête.

— Bien ! Je savais que tu poserais la question. Je vais persuader Sigrif que tu as déserté avec deux de tes copains. Et en même temps, je glisserai une poudre dans son vin, histoire de l'affaiblir un peu. Pas la peine de prendre des risques inutiles ! Comme ça, quand tu le défieras pour prendre le pouvoir, tu seras sûr de gagner. Vas-y maintenant, emmène deux autres renards. Si vous partez tout de suite, vous mettrez la patte sur le trésor un jour avant qu'on arrive à la rivière. Je te retrouverai là-bas pour partager l'gâteau.

Coufourré se leva et rattrapa la horde au pas de course.

— J'préfère t'avoir comme alliée que comme ennemie, Mortifère, lui jeta-t-il par-dessus son épaule.

La renarde agita la patte en souriant. Le destin ne lui avait donné qu'un seul maître, Sigrif le Vicieux, seigneur de la guerre !

Coufourré choisit deux jeunes mâles béats d'admiration devant lui. Sans trop leur en dire, il les conduisit sur le flanc de la horde, puis ils filèrent discrètement vers le sud-est.

Mortifère rejoignit Sigrif comme la horde franchissait un petit ruisseau.

— Alors, est-ce que notre grande gueule a mordu à l'hameçon ?

La renarde mit ses pattes en coupe et aspira tranquillement un peu d'eau.

— Il a tout gobé sans problème, Seigneur. On aurait dit un raton affamé qui apprend où le chef a caché la tarte aux pommes.

Le vent tomba dans la soirée ; il se mit à pleuvoir. On entendait des roulements de tonnerre au loin, qui se rapprochaient. Coufourré avait imposé une cadence d'enfer, et les deux jeunes renards peinaient en soufflant derrière lui. Trempés jusqu'aux os, ils firent halte sur une colline de schiste surplombant la carrière. Un éclair zébra le ciel, illuminant l'énorme puits creusé dans le sol. Essuyant ses yeux dégouttant de pluie, le plus jeune des renards recula.

— Ouh, c'est sinistre ! J'aime pas ça ! dit-il.

Un violent coup appliqué avec le manche de la hache le plia en deux. Coufourré renifla avec mépris.

— J'en ai rien à faire, de c'que t'aimes ou pas ! Debout ! Regardez en bas au prochain éclair, tous les deux, et dites-moi si vous voyez un gros trou dans la paroi.

Le tonnerre gronda, un nouvel éclair déchira le ciel noir et mouillé.

— Là, r'gardez ! Sur la gauche !

Tous trois le virent tout de suite. Il y avait toute une série de trous, mais l'un d'eux ouvrait une bouche noire beaucoup plus large que les autres. Coufourré poussa ses complices devant lui.

— Allez, bougez-vous ! On y va !

— On f'rait mieux de prendre une torche pour s'éclairer, protesta le jeune renard en continuant de se masser les côtes.

Les griffes de Coufourré se plantèrent dans la nuque du récalcitrant.

— Bougre d'imbécile ! gronda le grand renard en le secouant sans ménagements. Où est-ce qu'on va trouver du bois sec, à ton avis ? Remarque, j'ai bien un silex et de l'amadou : tu veux qu'on se serve de ta queue comme torche ? Allez, descendez !

Les éclairs se multipliaient. La descente des

renards fut plus rapide qu'ils ne l'auraient souhaité. Glissant sur les plaques d'argile mouillées, dérapant sur les pierres luisantes de pluie, ils atterrirent au fond du puits la queue par-dessus les oreilles, à demi étourdis. Illuminée par un nouvel éclair, la scène leur parut irréelle avec son cratère aux bandes de grès rose et rouge zébrées par la pluie. Coufourré balança sa hache sur son épaule.

— Gardez vos poignards à portée d'patte. On en aura besoin pour creuser.

— Creuser ? Pour quoi faire ?

— Ah, t'occupe ! Grouillez-vous, on a pas toute la nuit !

L'entrée du tunnel béait, noire et menaçante, mais avant que les deux renards n'aient le temps d'hésiter, Coufourré les poussa à l'intérieur du manche de sa hache. Ils se retrouvèrent au sec, surpris par le silence soudain. Les trois compères en profitèrent pour s'ébrouer et s'essuyer la figure et les pattes.

— Ouh ! Au moins, il fait chaud et sec ici, remarqua gaiement Coufourré. Si vous sentez quelque chose qui puisse servir de torche, passez-le moi, on l'allum'ra.

L'un des deux jeunes flaira l'air du tunnel et frissonna.

— Pouah ! Quelle horrible odeur !

Coufourré renifla à son tour, plusieurs fois, puis déclara :

— J'sais pas c'que c'est, fiston… Remarque, ça sent jamais bon sur le passage des rats d'mer.

Alors, tiens-toi à ma queue et dis à ton copain d'faire pareil avec la tienne. Suivez-moi.

Coufourré commença à soupçonner que quelque chose n'allait pas quand ils eurent tourné plusieurs fois dans un sens, puis dans l'autre. Il essaya de revenir sur ses pas, dans le noir le plus complet, et se trouva pris dans un dédale de chambres, de galeries et de culs-de-sac. Les deux jeunes renards se mirent à gémir.

— Ss... sortons d'là, j'ai peur !

— Ouais, on aurait jamais dû quitter la horde !

De sa patte libre, Coufourré gifla les ténèbres à l'aveuglette, jusqu'à ce qu'il ait atteint chacun d'eux.

— La ferme ! Vous m'entendez ? Bouclez-la, espèce de morveux !

Ils se turent. Coufourré s'accroupit et se concentra pour se repérer. C'est alors qu'il entendit le bruit.

Plip... Plop... Plip... Plop...

— Vous entendez ? La pluie a dû s'arrêter et maint'nant l'eau goutte des rochers. On dirait qu'ça vient d'en haut. Parfait, allons-y !

Ils progressèrent de nouveau à tâtons. Soudain, l'un des renards s'écria joyeusement :

— De la lumière, regardez ! Là-bas !

En effet, une pâle lueur tremblotait au bout du tunnel. Ils se ruèrent vers elle, tombant et trébuchant les uns par-dessus les autres en hurlant :

— C'est l'clair de lune !

— J'parie qu'y pleut plus !

C'était en fait une caverne intérieure haute de

plafond, une vaste chambre creusée dans le roc, envahie de stalactites et de stalagmites de calcaire. Certaines se reflétaient à la surface pâle et chatoyante, au vert luminescent, d'un grand lac. Malgré leur déception, les trois renards étaient envoûtés par le spectacle. L'odeur qu'ils avaient remarquée en pénétrant, douceâtre, froide et écœurante, se précisa. Coufourré l'avait déjà sentie sur les champs de bataille, dans le nord. C'était l'odeur de la mort !

Sssssssstttt !

Le sinistre sifflement s'enfla peu à peu, jusqu'à emplir toute la grotte. Alors, les renards virent les serpents. Ils bloquaient toutes les issues de ce lieu d'épouvante, vipères sifflant et se tordant, découvrant leurs crochets et glissant vers eux, reptiles aux yeux froids, aux écailles vertes chevronnées de noir, longs, courts, gras ou épais, le mal incarné, venimeux et sinueux. Dressés sur leur queue, se balançant en cadence, serrés les uns contre les autres, ils avançaient. Coufourré n'avait jamais rien vu de pareil, même dans ses pires cauchemars. La hache glissa d'entre ses pattes amorphes, il sentit des milliers d'yeux hypnotiques se fixer sur lui. À son côté, l'un des jeunes renards poussa un cri et se jeta dans le lac.

— Aaaahhh !

Quelques rides se formèrent là où la pellicule de glace s'était brisée tandis qu'une silhouette noire s'enfonçait lentement, inexorablement, dans l'abîme.

Puis, sans un cri, le visage figé dans une expression d'horreur, les yeux et la bouche grands ouverts, Coufourré et son dernier compagnon disparurent dans l'étreinte multiple et frémissante des serpents de la caverne.

Tandis que Sigrif fait disparaître un à un ses éventuels rivaux et marche inexorablement vers Salamandastron, Solaris et ses deux amis se trouvent en bien mauvaise posture. Qui sont donc ceux qui les ont faits prisonniers ?

À découvrir dans le tome 2 de Solaris,
L'orphelin maudit

L'auteur

Brian Jacques est né et a grandi à Liverpool, en Grande-Bretagne. À quinze ans, il prend la mer et parcourt le monde. Ce passionné sera docker, chanteur de folk, figurant, conducteur de poids lourds, comédien, auteur de pièces de théâtre, poète, présentateur à la BBC d'un one-man show *radiophonique, puis, enfin, en 1986, auteur du premier volume de Rougemuraille !*

Brian Jacques reçoit des centaines de lettres de lecteurs touchés par ses talents de conteur et la magie du monde qu'il a créé.

Une de ses plus belles réponses est de continuer à écrire…

ROUGEMURAILLE

CLUNY LE FLÉAU

MARTIN LE GUERRIER

MATTIMÉO

MARIEL

SOLARIS